D1228981

Collection
"Une vision inédite de votre signe astral" :

Bélier (21 mars – 20 avril)
Taureau (21 avril – 20 mai)
Gémeaux (21 mai – 21 juin)
Cancer (22 juin – 22 juillet)
Lion (23 juillet – 22 août)
Vierge (23 août – 22 septembre)
Balance (23 septembre – 22 octobre)
Scorpion (23 octobre – 22 novembre)
Sagittaire (23 novembre – 21 décembre)
Capricorne (22 décembre – 19 janvier)
Verseau (20 janvier – 18 février)
Poissons (19 février – 20 mars)

Le Mois de mai, extrait du *Calendrier des Bergers*
(xvie siècle ; bibliothèque des Arts décoratifs, Paris).

Taureau

(21 avril – 20 mai)

"Une vision inédite de votre signe astral"

L'AUTEUR :

Aline Apostolska est née en 1961, dans l'ancienne Yougoslavie. Depuis sa naissance, de multiples voyages l'ont entraînée vers d'autres pays, d'autres cultures. Macédonienne, elle se dit volontiers apatride et européenne, ce qui explique sa quête continuelle des mystères universels et immuables de l'humanité.

Après une maîtrise d'histoire contemporaine, elle devient journaliste culturelle *(Globe, City...)*, tout en poursuivant des recherches astrologiques en relation avec la mythologie mondiale, le symbolisme, la psychologie. Les grands médias sollicitent sa collaboration en vue d'une rénovation en profondeur de l'image astrologique : rubriques astrologiques de *Lui* (1986-1988), de R.T.L. (chronique matinale, été 1989), de *Femme actuelle* (1990-1991), de *Votre beauté* (1991) et interviews pour *les Saisons de la danse* (depuis 1991).

Reconnue comme une figure d'avant-garde dans les milieux astrologiques, elle assure aujourd'hui des conférences, stages et séminaires d'astrologie et de symbolisme à travers le monde (France, D.O.M.-T.O.M., Belgique, Italie, Egypte...). Parallèlement, elle est directrice de collections aux Editions Dangles et aux Editions du Rocher.

Elle est, de plus, l'auteur de plusieurs ouvrages :

– *Etoile-moi, comment les séduire signe par signe* (Calmann-Lévy, 1987).

– *Sous le signe des étoiles. Relations astrologiques entre parents et enfants* (Balland, 1989).

– *Mille et mille Lunes* (Mercure de France, 1992).

– *Lunes noires, la porte de l'absolu* (Mercure de France, 1994).

Aline Apostolska

Taureau

(21 avril – 20 mai)

Deuxième édition

Editions Dangles
18, rue Lavoisier
45800 ST-JEAN-DE-BRAYE

Représentation du Taureau, extraite du célèbre
Liber Astrologicæ (manuscrit latin du XIVᵉ siècle).
(Bibliothèque nationale, Paris.)

ISBN : 2-7033-0401-3
© Editions Dangles, St-Jean-de-Braye (France) – 1994

Tous droits de traduction, de reproduction
et d'adaptation réservés pour tous pays.

Le Taureau (miniature des *Heures* de Rohan, XVe siècle).
(Bibliothèque nationale, Paris.)

« *Avez-vous senti dans les prairies, au mois de mai, ce parfum qui communique à tous les êtres l'ivresse de la fécondation ?* »

Honoré de Balzac.

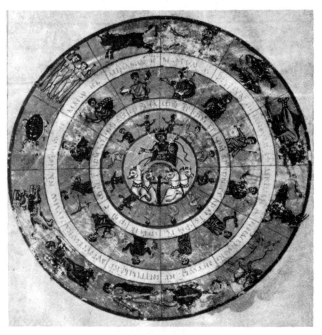

Le Tetrabiblos de Ptolémée, grâce auquel se conserva le savoir astrologique. Il représente le Soleil et les douze signes du zodiaque (art byzantin, 820 apr. J.-C.).

(Bibliothèque du Vatican.)

Introduction

Astrologie (1)… le mot est lâché et, dès qu'on l'a prononcé, le public se scinde en deux catégories distinctes : « *ceux qui savent* » et « *ceux qui croient* ».

– « *Ceux qui croient* » croient en l'horoscope (2), c'est-à-dire en une lecture parcellaire d'un hypothétique « Destin » écrit et déterminé une fois pour toutes, et qui nous éviterait une fastidieuse investigation personnelle ainsi qu'un véritable travail de prise de conscience et d'autotransformation.

– « *Ceux qui savent* », donc les astrologues ou ceux qui ont acquis un savoir symbolique et ésotérique, regardent « *ceux qui croient* » avec la hauteur qui sied à qui veut jauger l'étendue de son champ d'action. Ceux-là se comportent comme les véritables détenteurs de la « vraie » astrologie, celle qui demande une culture vaste et hétéroclite, du recul et un **indispensable amour de son prochain.**

L'astrologie implique donc toujours l'exercice d'un pouvoir. Peut-être que, pour tous ceux qui – à un moment ou un autre de leur vie – entrent dans une demande de reconnaissance et de pouvoir, le premier travail à effectuer reste de savoir pour *quoi*, pour *qui* et *comment* cet exercice peut légitimement se faire.

Alors, à quoi sert donc l'astrologie ? Essayons d'abord de la définir.

---

1. Astrologie : du grec *astron* (astre) et *logos* (langage) signifie « le langage des astres ».
2. Horoscope : du grec *horoskôpos,* qui « considère l'heure de la naissance ».

1. Vous avez dit « astrologie » ?...

a) Le rapport au Cosmos

« *L'astrologie est la plus grandiose tentative d'une vision systématique et constructive du monde jamais conçue par l'esprit humain.* » C'est à cette définition de Wilhelm Knappich (3) que je me réfère le plus volontiers. Elle place d'emblée le sujet à sa juste dimension et offre une vision vaste des rapports qui relient l'être humain au Cosmos qui le contient et qu'il contient lui-même, puisqu'il est composé des mêmes matériaux que ces lointaines étoiles qu'il regarde avec toujours autant d'admiration et d'envie.

Ce rapport à une loi cosmique, qui semble s'accomplir sans que l'être humain puisse y participer autrement qu'en la subissant, constitue la dynamique centrale et principale du désir d'évolution. Cette confrontation quotidienne de l'homme minuscule à ce Majuscule qui le fascine existe depuis que le premier humain a levé les yeux au ciel et que cette « *tension vers le haut* (4) » l'a propulsé dans une démarche de progrès sans fin.

L'astrologie, système conceptuel *poétique* (qui parle par images s'adressant à l'imaginaire) et *symbolique* (qui met ces images en ordre et leur donne un sens), demeure **le plus vaste outil dont l'homme se soit jamais doté pour tenter de comprendre son rapport à l'infiniment grand** et aiguiser ses capacités de maîtrise des énergies qui l'environnent et qu'il refuse de subir.

_____

3. Voir, de Wilhelm Knappich : *Histoire de l'astrologie* (Editions Vernal-Lebaud).

4. Les « Très-Hauts » étant les dieux qui, chez les Anciens, donnèrent leurs noms aux planètes.

Autel romain représentant les têtes des douze dieux de l'Olympe (Antikenmuseum, Berlin).

b) Un pont entre Visible et Invisible

La pertinence et l'universalité de l'astrologie – parmi tant d'autres systèmes conceptuels – demeurent aujourd'hui avec autant de clarté et de spécificité. Elle reste indétrônée, irremplacée, certes complétée par d'autres symboles mais jamais réduite à eux, car les outils dont elle s'est dotée – il y a plus de 4 000 ans – sont, d'après C. G. Jung, *« les archétypes les plus immuables de l'inconscient collectif, archétypes que les générations se transmettent à l'intérieur d'une même civilisation »*.

Cette pertinence et cette universalité sont de nos jours créditées par cette même science qui, jusqu'à hier, au plus fort des matérialistes années 60, était la première à nier l'astrologie. Les dernières conclusions de la physique quantique mettent largement en avant les preuves de l'importance de l'*immatériel* dans la prise de forme physique des organismes vivants. On y retrouve cette dimension primordiale à laquelle nous ont toujours invités les religions, autant que les philosophies mystiques, d'un Visible qui procède de l'Invisible et de la matière créée par l'énergie de l'Esprit…

Dans la lecture qu'elle nous offre effectivement de l'homme et de ses rapports avec son environnement le plus large, l'astrologie jette bien un pont entre Visible et Invisible ; elle permet d'embrasser l'espace-temps d'une vie terrestre en en pointant le centre. Tel un mandala énergétique, un thème astrologique permet de faire le point des **dynamiques motrices** dont un individu est à la fois l'acteur et la scène, et donne la possibilité d'en tirer le meilleur parti, dans tous ses domaines existentiels.

c) Se connaître pour s'aimer et se respecter

Loin d'être une lecture du « destin » dans le pire sens – inévitable et punitif – du terme (5), l'astrologie offre d'abord la possibilité de se connaître mieux, dans ce que l'on a d'*unique* et d'*irremplaçable*. Elle aide à cerner de plus près ce pour quoi « l'on est fait » puis, à partir d'une telle évaluation générale des forces en présence, elle aide à trouver un meilleur équilibre, un sens harmonieux et vivable entre l'*inné* et l'*acquis,* entre le *potentiel* et le *vécu.* L'astrologie a pour ambition de nous permettre de **mieux nous comprendre pour mieux nous aimer, et ainsi d'évoluer en harmonie.**

5. « *Le destin est la marque de l'inconscient qui imprime sa loi sur une vie* » (Lou Andréas Salomé).

L'astrologie occidentale devient solaire. Ici, Akhenaton,
pharaon égyptien, offrant un sacrifice au dieu-soleil Aton.

(Musée du Caire.)

d) L'astrologie prédit-elle l'avenir ?

Mieux se connaître, éclairer, orienter, maîtriser les divers domaines de sa vie, en même temps que s'harmoniser avec les dynamiques cosmiques, voilà ce que permet l'astrologie occidentale. Est-elle pour autant prédictive ?

Rappelons qu'au début l'astrologie donna naissance à l'astronomie, puisque c'est avec elle que débuta l'observation quotidienne du ciel. Puis elles se séparèrent inexorablement jusqu'à ce que Colbert – au XVIIe siècle – exclue définitivement l'astrologie de l'Académie des sciences. Il aura fallu attendre le XXe siècle pour qu'Einstein ose proclamer : *« L'astrologie est une science en soi illuminatrice. J'ai beaucoup appris grâce à elle et je lui dois beaucoup. »*
Sur le plan strictement astronomique, **l'exactitude entre le ciel et les signes astrologiques n'existe effectivement plus depuis longtemps,** mais cela n'enlève rien à la pertinence astrologique qui reste uniquement symbolique. Lorsqu'on parle du Lion, on ne parle pas de la constellation stellaire, mais du symbole et des caractéristiques qui lui sont attribuées.

Cette scission astronomie/astrologie signe la marque de l'Occident qui a ainsi voulu se démarquer d'une idée de *« destinée écrite dans le ciel »*. Ce n'est pas le cas de l'Orient, notamment de l'Inde, où le système astrologique s'est constitué au fil des millénaires dans le respect de l'astronomie. La force de l'astrologie occidentale réside dans sa pertinence *psychologique* et *dynamique,* alors que celle de l'astrologie indienne demeure dans la *prédiction.* En ce sens, elles sont profondément complémentaires, mais n'ont pas le même propos : depuis des millénaires l'astrologie occidentale s'est parfaite comme un **outil d'analyse et d'analo-**

gie, alors que l'astrologie indienne a ciselé ses **outils prédictifs.**

Faut-il, pour cela, renier l'astrologie occidentale ? Certes pas. Elle demeure toujours un grand mystère, même et surtout pour « *ceux qui savent* » et en maîtrisent le symbolisme et la technique. L'astrologie, tout occidentale, pour symbolique, psychologique et énergétique qu'elle soit, **continue d'être exacte** lorsqu'il s'agit de s'y référer pour examiner **l'évolution d'une situation.**

Le zodiaque qui ornait le plafond du temple de Dendérah, en moyenne Egypte.

(Bas-relief de l'époque ptolémaïque ; musée du Louvre.)

e) Une leçon de sagesse et d'humilité

Alors oui, ça marche, mais le mystère demeure entier et c'est tant mieux ! Pour l'homme contemporain, trop prompt à se croire capable de tout appréhender et de tout maîtriser, l'astrologie demeure une leçon quotidienne, à travers l'exemple mille fois répété que « quelque chose échappe à notre condition d'humains »... Quoi que l'on ait appris et compris, lorsque l'horloge cosmique se met en marche elle scande des rythmes que nous ne pourrons jamais prévoir, saisir ni connaître dans leur réalité. Au moment où les choses se passent, on est toujours surpris – ou catastrophé – mais surtout dépassé...

L'astrologue qui dit le contraire et prétend avoir tout su, tout prévu, tout analysé, se lance dans une **gageure d'apprenti sorcier** ou vise un rôle de **gourou de la pire espèce.** Les temps actuels sont trop propices à de critiquables abus de toutes sortes de pouvoirs pour ne pas le rappeler.

L'astrologie permet de savoir beaucoup de choses. Elle est un incomparable **outil de prise de conscience** et de connexion cosmique, mais il demeure toujours ce que l'homme ne connaîtra jamais... Dieu l'en garde !

2. Etre d'un signe, qu'est-ce que cela signifie ?

« *Je suis Taureau, tu es Verseau, il est Sagittaire...* »
Au quotidien, l'astrologie s'exprime ainsi. Nul n'ignore
son signe solaire, même les jeunes enfants qui s'y
réfèrent avant de saisir ce qu'est l'astrologie. On sait
moins, par contre, quelle réalité recouvre cette symbolique.

Pour décrypter une personnalité ou une situation,
pour saisir les **circulations énergétiques** en place et
comprendre – puis orienter – les **dynamiques motrices**
spécifiques, l'astrologue est en possession d'outils
qu'un vaste savoir – à la fois ésotérique et analogique
– autant que des millénaires d'expériences statistiques
ont permis de fignoler jusqu'à leur donner la pertinence
et la fiabilité actuelles.

a) Les outils de l'astrologie

Ces outils sont les signes, les planètes, les maisons
et quelques points immatériels tels que les nœuds
lunaires, la Lune noire, la part de fortune et, éventuel-
lement, les astéroïdes Chiron et Cérès. Les aspects que
ces différents points forment entre eux impriment la
dynamique générale du thème astral, pointent les
forces, les faiblesses et les caractéristiques de la personnalité dans ses différents domaines d'existence.

Considérons un thème astral comme un parcours
terrestre précis et imaginons que le potentiel de chacun est un véhicule : les signes donnent la couleur de
la carrosserie et les caractéristiques de la marque, les
planètes donnent la puissance et les spécificités du
moteur, tandis que les maisons permettent de savoir à
quel domaine de la vie (personnel, sentimental, professionnel, financier, etc.) s'appliqueront ces caractéristiques.

Le zodiaque et les constellations, avec leurs numéros et leurs degrés (carte du ciel de Dürer, XIXe siècle).

b) Les critères principaux pour mieux se connaître

Comme on le voit sur le dessin, un thème astral met en évidence plusieurs positions planétaires dans différents signes du zodiaque. Nous sommes tous un savant – et unique – mélange de différents composants. Nous roulons tous avec une carrosserie plus ou moins bariolée ! Bien sûr, pour lire et comprendre le tout, il faut être astrologue, mais chacun peut facilement, grâce aux nombreux serveurs télématiques astrologiques ou à des ouvrages de calculs, connaître les éléments essentiels de son thème, pour se référer ensuite aux autres ouvrages de cette collection.

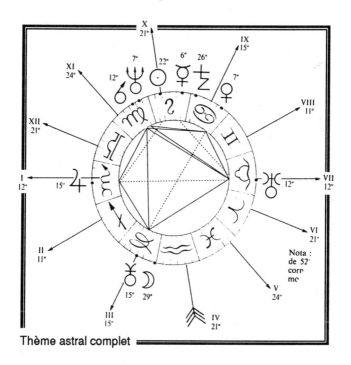

Thème astral complet

✧ **Le signe solaire,** celui qui nous fait dire « *Je suis Taureau, Bélier, Vierge...* » et qui est donné par la position du Soleil au moment de notre naissance, caractérise notre Moi extérieur, notre comportement social et productif, nos références paternelles.

✧ **Le signe lunaire** est au moins aussi important que le signe solaire, car il permet de connaître notre

Moi profond, notre sensibilité, notre imaginaire, notre
part intime et notre image maternelle. La Lune parle
mieux des aspects essentiels de nous-mêmes, au point
que certaines astrologies considèrent le signe lunaire
comme LE signe véritable. C'est ainsi qu'en Inde, si
vous demandez son signe à une personne, elle vous
répondra invariablement par son signe lunaire, vous
livrant ainsi la « part cachée » d'elle-même… C'est
pourquoi il est important d'étudier aussi son signe
lunaire si l'on veut mieux se retrouver et se définir.

⬧ **L'ascendant :** plus personne, de nos jours,
n'ignore qu'il s'agit d'un élément indispensable qui
représente notre personnalité innée, celle qui nous
place dans l'histoire familiale et dessine les traits
exacts de notre identité quotidienne. Sur un plan technique, l'ascendant représente la maison I ; il est donc
un *miroir grossissant :* on s'y voit et l'on y est vu. Le
connaître est donc également très important.

⬧ **La dominante planétaire :** sur les dix planètes
et autres points importants d'un thème, il arrive qu'il y
en ait plusieurs dans un même signe qui n'est ni celui
du Soleil, ni celui de la Lune, ni celui de l'ascendant.
Il peut arriver qu'une planète soit particulièrement
importante et qu'elle se trouve dans un signe précis.
Cette dominante est ordinairement calculée par les
serveurs télématiques de qualité, et il suffit alors de se
reporter à l'étude du signe de cette dominante.

☉ ☿ ♀ ♁ ☾ ♂ ♅ ♆ ♇ ♎ ♃ ♄

Ces différentes approches sont de sûrs moyens de
bien utiliser cet outil très élaboré et très subtil qu'est
l'astrologie. Sa structure minutieuse la rend parfois
complexe et rébarbative pour certains qui préfèrent en

rester à leur signe solaire (du moins, dans un premier temps), ou aller consulter un professionnel dans les moments clefs de leur vie. Mais, en astrologie, chacun fait comme il lui plaît, au niveau et au degré qui lui conviennent le mieux.

Comme disait d'elle André Breton, qui l'aimait d'amour fou, *« l'astrologie est une grande dame et une putain... »*. Comme toutes les grandes dames, elle demeure insondable et inaccessible aux *« pauvres vers de terre que nous sommes »* mais, comme les putains, on peut facilement l'aborder en superficie et jouir d'un plaisir légitime et réconfortant parce que éphémère...

3. La roue du zodiaque

a) Les signes, 12 étapes pour la conscience

Levant les yeux au ciel, l'homme vit la trace de la projection du Soleil sur la voûte céleste. Cette projection constitue le zodiaque, formé par 12 constellations, groupes d'étoiles dont on a aujourd'hui pris l'habitude de voir les dessins, et qui donnèrent leurs noms aux signes zodiacaux.

D'après les planètes et les constellations, les Babyloniens (les premiers) établirent un calendrier basé sur l'astrologie et les quatre saisons. Le nom des signes évolua avec l'histoire et les civilisations qui, tour à tour, s'approprièrent « le langage des astres » et le firent évoluer... Mais quels que soient les noms donnés aux signes, ceux-ci eurent toujours pour rôle de marquer l'évolution du Temps et donc, symboliquement, la progression de la personnalité. La roue du zodiaque évoque ainsi, en douze étapes, l'évolution de la personnalité humaine, l'éveil de sa conscience ainsi que le passage d'un plan de conscience à un autre.

Chaque signe a un rôle précis dans cette évolution. Du Bélier qui, avec le retour des forces vives primordiales analogiques au printemps symbolise l'ego à son stade le plus primaire, mais aussi le plus puissant, au Poissons qui, avec la période de la fonte des neiges et la dilution de toutes les certitudes terrestres, représente la disparition de l'ego humain et l'accès – le retour – à un plan cosmique infini et intemporel.

♈ ♉ ♊ ♋ ♌ ♍ ♎ ♏ ♐ ♑ ♒ ♓

b) Douze signes, six axes

Les 12 signes que nous connaissons fonctionnent deux par deux. Il existe en réalité 6 signes véritables, avec chacun une face et un dos (ou un endroit et un envers), mais la dynamique de base et les objectifs vitaux en sont identiques. Ces six axes sont les suivants :

♈♎ **L'axe Bélier-Balance,** ou *axe de la relation.* La relation humaine représente le cœur des préoccupations de ces signes, mais chacun y répond d'une manière opposée et, finalement, complémentaire.

◇ Le Bélier dit : « *Moi tout seul, j'existe face à l'autre.* »

◇ La Balance dit : « *Moi à deux, j'existe grâce à l'autre.* »

♉♏ **L'axe Taureau-Scorpion,** ou *axe de la pulsion.* Ces signes sont au cœur de la matière humaine et terrestre. Ils connaissent tous les secrets de la vie et de la mort, mais prennent des positions opposées par rapport à cette question de fond.

◇ Le Taureau dit : « *La vie est sur Terre. Je crée et je possède.* »

Jupiter, au centre du zodiaque.

(Sculpture du IIe siècle ; Villa Albani, Rome.)

✧ Le Scorpion dit : « *La vie passe par la mort. Je détruis pour transcender.* »

♊ ♐ **L'axe Gémeaux-Sagittaire,** ou *axe de l'espace.* Ces signes permettent d'accéder à une vision complexe, intellectuelle puis spirituelle de l'humanité. Leur maître mot est le mouvement, mais ce mouvement est vécu différemment par l'un et par l'autre.

✧ Le Gémeaux dit : « *Je bouge dans ma tête. Je conceptualise et je transmets.* »

✧ Le Sagittaire dit : « *La vie est ailleurs. Ma mission est ma quête.* »

♋ ♑ **L'axe Cancer-Capricorne,** ou *axe du temps.* Pour ces deux signes, tout est inscrit entre hier et aujourd'hui ; ils sont chacun à un pôle de la roue de la vie.

✧ Le Cancer dit : « *Je suis l'enfant de ma mère. L'imaginaire est ma réalité.* »

✧ Le Capricorne dit : « *Je suis le père de moi-même. Je gravis ma montagne.* »

♌ ♒ **L'axe Lion-Verseau,** ou *axe de l'individuation.* Ces signes sont ceux du stade de l'adulte accompli. Mais chacun voit différemment son rôle d'adulte parmi les adultes.

✧ Le Lion dit : « *Un pour tous. Je suis le modèle de référence.* »

✧ Le Verseau dit : « *Tous comme un. Je suis solidaire et identique à mes frères.* »

♍ ♓ **L'axe Vierge-Poissons,** ou *axe de la restitution.* A ce stade de la roue du zodiaque, il est temps d'abolir la notion d'individualité. On s'en réfère à l'âme et, plus qu'à soi, on pense à son prochain.

✧ La Vierge dit : « *Je me dévoue sur Terre. Je suis utile au quotidien.* »

✧ Le Poissons dit : « *Je lâche prise. A travers moi, la loi divine s'accomplit.* »

c) **Quatre éléments, trois croix**

Les quatre éléments Feu, Terre, Air et Eau, combinés selon ces six axes, s'associent également selon une répartition ternaire qui spécifie le type d'énergie élémentaire de chaque signe, ainsi que leur stade d'évolution initiatique. Nous aurons ainsi les trois croix suivantes :

✧ **La croix cardinale :**
– *Bélier/Balance*
(Feu/Air ; masculin)
– *Cancer/Capricorne*
(Eau/Terre ; féminin)

C'est la **croix de l'Esprit.** En latin, le mot cardinal signifie « gond de la porte ». Les cardinaux *inaugurent l'énergie* de l'élément auquel ils appartiennent. Ils introduisent la notion de disciple propre à la période préparatoire de l'âme au passage de la porte de l'initiation. Ils représentent le premier stade de l'évolution de l'âme.

✧ **La croix fixe :**
– *Taureau/Scorpion*
(Terre/Eau ; féminin)
– *Lion/Verseau*
(Feu/Air ; masculin)

C'est la **croix de l'âme.** Ils sont les signes sacrés qui symbolisent l'énergie de l'élément auquel ils appartiennent. *Le message divin y est déposé,* d'où leur analogie avec les quatre évangélistes. Ils représentent l'âme à son aboutissement.

✧ **La croix mutable :** ⟶
– *Gémeaux/Sagittaire*
(Air/Feu ; masculin)
– *Vierge/Poissons*
(Terre/Eau ; féminin)

C'est la **croix du corps.** Elle spécifie le chemin de
la vie quotidienne à laquelle sont assujettis tous les
fils des hommes. Elle représente la crucifixion et la
difficulté journalière de ceux qui *servent le divin à
travers la matière* et son utilisation. Les mutables doivent transmuter l'énergie de leur élément.

⟪⟨◉⟩⟫

Comme nous l'avons dit, nous sommes tous un
savant mélange de ces différents paramètres, mais un
signe se détache tout particulièrement sur notre chemin.

Un signe, une étoile, un message… A chacun son
Bethléem !

Découvrons-le à présent en détail.

I

La vie selon le Taureau

1. La primauté de la matière

*« **J'ai,** dit le Serpent.*
Je possède la sagesse des temps et détiens la clé
des mystères de la vie.
Je sème en sol fertile et nourris ma semence de
soins constants.
Mes objectifs sont clairs et mon regard immuable.
Opiniâtre, sérieux et inexorable, j'avance d'un
mouvement régulier.
La solidité de la terre affermissant mon corps. »

Voilà bien paroles adaptées au Taureau, puisque le Serpent – en astrologie chinoise – correspond analogiquement au signe du Taureau.

Avoir, posséder, semer, conserver... tous ces termes se rapportent à ce qui demeure le centre de l'univers taurien : la matière, la Terre-mère à laquelle il se réfère et qu'il connaît intimement mieux que tout autre signe, mieux même que les autres signes de Terre que sont la Vierge et le Capricorne.

2. Toute la vie comme un printemps

Il est vrai qu'il découvre la vie au milieu du printemps, au moment même où la matière présente le meilleur d'elle-même et incite presque à s'identifier à elle, en toute quiétude et en toute beauté. Naître au milieu du printemps forge une vision du monde des plus agréables : les couleurs, odeurs et saveurs, la légèreté de l'air et la transparence des cieux, la tempérance du climat et la douceur des énergies environnantes ont véritablement de quoi faire « voir la vie en rose » ! L'univers s'est paré de ses plus jolis atours et la beauté fait intimement partie de ce monde, œuvre remarquable, art parmi les arts, modèle de perfection pour tous les créateurs. Tout est là pour flatter les sens subtils du Taureau... qui ne demandent qu'à être éveillés et mis en appétit !

La matière, pour un Taureau, est alors bien la source de toutes les magies. Elle a quelque chose de divin car chacun, à la suite du Créateur lui-même, peut – grâce à elle et à partir d'elle – donner forme à toutes ses nécessités, mais aussi à toutes ses voluptés.

Si toute la vie devait ressembler à un mois de mai, l'existence terrestre aurait sans doute quelque chose de paradisiaque ; ainsi, né en plein « paradis », le natif du Taureau n'admettra jamais tout à fait les imperfections, les frustrations, les restrictions et les rigidités qui ne tarderont pas à s'immiscer comme autant de désenchantements. Et nul autre autant que le Taureau, émerveillé d'avoir ouvert les yeux au sein d'un monde aussi magnifique, ne saurait être plus malheureux, blessé en profondeur par toutes les entailles que la réalité ne tarde pas à creuser dans son idéal.

Cette volupté, le Taureau la revendique pour lui-même, mais aussi pour tous ceux qu'il aime et, puisque,

Saint Cornély, le patron des bêtes à cornes, donc du Taureau (statue du porche de l'église de Carnac, Morbihan). Saint Cornély est une appellation bretonne de saint Corneille, pape romain de l'an 251. Cornély, par jeu de mots avec cornes, est devenu le patron des vaches et des taureaux. On offrait au saint une touffe de poils arrachés de leur queue pour assurer aux bêtes une protection pour l'année à venir.

à part d'être aimé, il ne revendique rien autant que la possibilité d'aimer, on dira aisément qu'il souhaite cette volupté pour beaucoup de personnes de son entourage. Je me souviens ainsi d'une maman Taureau disant très sérieusement « *qu'un bébé, c'est pas fait pour naître en hiver parce qu'il fait trop froid... »*. Elle s'imaginait elle-même toute nue et toute petite, jetée dans un monde à la fois glacial, terne et triste, et pensait qu'une telle horreur ne pouvait arriver à son enfant. Et heureusement pour la maman comme pour le bébé, naquit un petit Gémeaux… lui aussi natif du printemps.

Cette saison est aussi, en plus d'être la plus belle et la plus harmonieuse, la plus spectaculaire dans sa vivacité. C'est bien le moment où tout prend forme, où tout ce qui était en gestation durant les mois précédents – et qui n'était qu'idée au stade du Bélier – vient à maturation et se met à **exister.**

3. Que la forme soit !

Et la forme est ! Le Taureau ne supporte pas d'en rester au stade de l'idée ou du désir non manifesté et non concrétisé. Les prémices, le stade initial des choses, c'est bon pour le Bélier qui en reste à l'émoi du commencement. En Taureau, c'est l'énergie de concentration et de prise de forme qui vient s'exprimer. Rien n'a d'intérêt tant que cela n'existe pas et, pour un Taureau, exister signifie être *touchable*… et touché, être *palpable*… et palpé, être *consommable*… et plutôt deux fois qu'une ! Si le Bélier représente le principe absolu du yang initiateur, le Taureau symbolise le yin parfait : le premier représente l'Essence, le second la Substance. A eux deux, le monde visible est créé.

Si le Bélier est celui qui aura mis « bille en tête » au Taureau, c'est bien ce dernier qui va amener l'énergie vitale à sa phase de concentration et d'extériorisation. A partir de la matière qui lui est si chère, le Taureau donne forme aux envies – les siennes mais également celles des autres. Il est bâtisseur, sculpteur,

« pétrisseur de vie »… l'important, pour lui, étant de se mettre en branle pour atteindre son rêve imaginé. Selon le Taureau, un rêve n'est intéressant que s'il devient réalité et, tant qu'à force de travail acharné et persévérant il n'est pas parvenu à son objectif, il demeure insatisfait. C'est un « jusqu'au-boutiste » dont la principale qualité est la **détermination** et le principal défaut l'**entêtement**. Pas facile à gérer ni à manier, il se polarise sur son objectif et ne voit pratiquement plus rien des alentours tant qu'il ne parvient pas à coller son museau contre la cible. Et tant pis pour les dégâts ! Les gêneurs n'avaient qu'à se pousser s'ils ne voulaient pas finir écrasés !

Le Taureau met tant de temps à s'engager qu'une fois cet engagement pris, il n'a d'autre énergie que celle de la finalisation : il n'a tout simplement plus d'essence pour faire la route dans l'autre sens ! Les notions d'obstacle et de frein, considérées par rapport aux énergies bouillonnantes libérées par le printemps, lui semblent impossibles à intégrer. Le désir est son maître sur Terre : lorsqu'il veut que les choses existent, elles « sortent de ses mains » et on peut, pour cela, lui faire toute confiance. Une fois qu'il a réussi ce véritable travail d'alchimie, de transformation d'une idée en projet et d'un projet en concrétisation – si possible sonnante et trébuchante – son cycle personnel est accompli et les passions s'apaisent.

4. « Bête de somme et bête d'amour »

Sa tactique « d'éléphant dans un magasin de porcelaines » lui fait sans doute mépriser les détails et écraser quelques orteils mais, à défaut d'être en dentelle, elle est on ne peut plus efficace.

Formes et sensualité.
Sculpture de Vénus-
Aphrodite, déesse de
l'Amour.

(Musée de Rhodes.)

Attention cependant à ne pas le prendre systématiquement pour un « gros balourd ». Même s'il y a, bien
sûr, différents types de Taureaux, avec des degrés de
conscience différents, la fibre artistique n'est jamais
bien loin. Tous les natifs possèdent, jusque dans les
moindres détails du quotidien, un goût de l'harmonie
et de la beauté qui en fait au moins des **esthètes,** parfois de **vrais artistes ;** ce signe comprend beaucoup des
plus grands artistes de tous les temps, en particulier
dans les domaines de la musique, de la danse et de la
peinture, tous ces champs de l'Ineffable que le philo-
sophe Jankélévitch a si joliment définis comme les
seuls moyens d'expression de *« ce sur quoi l'on reste
habituellement muet parce qu'il y aurait trop à dire ».*

La grande caractéristique de ce signe est que **la
notion même de travail est considérée comme un
art** – plus que comme une tâche laborieuse comme

dans le signe de la Vierge – en même temps que ses réalisations artistiques se concrétisent par le labeur le plus sérieux et le plus acharné. A l'extrême, puisque art et amour viennent de la même rencontre entre sensualité et imagination (rencontre caractéristique du Taureau), on dira que le Taureau non seulement considère son travail comme une œuvre et son œuvre comme un « boulot » mais, de plus, qu'il aime comme il travaille et travaille avec autant de raffinement et de délectation qu'il aime ! Tout un programme… qui lui forge une existence productive, « carrée » mais néanmoins délicieuse.

C'est ainsi que le Taureau se révèle, dans la très large majorité des cas, être « bête de somme » sans jamais cesser d'être, parallèlement, « bête d'amour ».

Qu'est-ce qui, en effet, peut inciter un Taureau à lever la tête de son travail et à plonger dans la langueur qui lui correspond néanmoins assez bien ? L'**amour,** évidemment, et exclusivement dirons-nous car, pour lui qui calque ses rythmes et pulsions sur le modèle printanier, rien ne vaut autant que les êtres et les choses qui peuvent lui tourner et retourner les sangs et éveiller son épiderme ultrasensible.

Animal tactile et sensitif, chez lui les pulsions et impulsions de toutes sortes bourgeonnent « à fleur de peau » comme un vrai festival printanier… C'est ainsi qu'on le voit facilement rougir, blêmir, frémir, ses variations cutanées étant un véritable langage, souvent plus authentique et plus exact que les rares mots qu'il est capable de prononcer, la pudeur lui imposant des retenues verbales.

Partageur, convivial et généreux, le Taureau ne se satisfait jamais de contempler seul ses désirs et se trouve bien content de pouvoir les faire partager à l'élu(e) du moment – ou de sa vie puisqu'il a plutôt tendance à cultiver la fidélité dans ses engagements.

5. Splendeurs et misères de l'émotion

Lorsqu'on parle d'amour, on peut immédiatement parler de sensualité et de sexualité avec le Taureau car lui, qui ne se comporte pas en séparatiste manichéen, **ne conçoit en aucun cas de séparer corps et sentiments.** S'il aime, le Taureau aime toucher, embrasser, caresser. Son corps ne le trahit pas ; au contraire, il est son meilleur révélateur et le Taureau s'en sert tout à fait simplement et spontanément, sans aucune idée morale, pour traduire le type de sentiment qu'il porte à son entourage.

Les yeux, qu'il a généralement grands et lumineux, se dilatent et ses lèvres se fendent d'un sourire cajoleur s'il aime – traduisez : *« s'il a envie »* – ou bien se ternissent et opposent une barricade déconcertante s'il n'aime pas – traduisez : *« s'il ne ressent aucun désir »*…

Ainsi le Taureau est-il plutôt simple et sain dans ces domaines si subtils de la vie. Les complications et les nombreuses nuances « à tiroirs » qui interviendront à partir du Gémeaux ne le concernent pas encore et, si on lui en impose, si le partenaire n'est pas sur la longueur de simplicité et de facilité qui lui correspond, le Taureau ne comprend plus ; il souffre alors beaucoup de ce code amoureux que son **esprit entier** – trop entier, vous diront certains, parce que « entier » signifie aussi rigide, simpliste, intolérant, envahissant, accaparant… – ne lui permet pas de saisir tout à fait.

Vénus et Adonis, son fils-amant (toile de Sébastiano Ricci).
(XVIIᵉ-XVIIIᵉ siècle ; musée des Beaux-Arts, Orléans.)

« *Voyons, pourquoi les choses ne sont-elles pas basiques pour tout le monde ?* » s'étonne-t-il en permanence.

Quand on aime on a envie et quand on a envie on agit, un point c'est tout ! Et lorsqu'on a envie c'est qu'on aime, inutile d'introduire mille nuances... Finalement, dans ce domaine aussi, même entier, généreux et authentique, le Taureau peut faire figure « d'éléphant dans un magasin de porcelaines » et escamoter le cœur de quelques-uns sans même s'en rendre compte... sans parler de leur corps !

L'énormité de ses besoins n'a d'égale que l'énormité de sa demande et de son offre mais, comme toujours en matière d'énormité, on est aussi en présence d'exagération. Personne au monde n'est capable de répondre à une telle demande ni de recevoir en bloc une telle offre dans son ampleur, à moins de tomber dans un cocooning à forte composante pathologique et névrotique. La névrose affective guette toujours le natif, à un degré plus ou moins grave, surtout si son enfance lui a laissé d'affreux et impardonnables souvenirs d'abandon et de manque.

Ayant une mémoire d'éléphant et une **incapacité « génétique » à intégrer les notions de manque et d'absence,** un Taureau ne peut pas, de par sa structure même, avoir un jour supporté des lésions d'amour et des chocs émotifs sans en porter de profondes et lourdes traces, d'autant plus denses et profondes qu'elles sont insoupçonnables aux yeux de qui ne le connaît pas bien. Cela peut paraître exagéré, mais l'exagération demeure une composante de ce signe. L'indépendance et l'autonomie affective ne concernent pas du tout les natifs qui **confondent douloureusement indépendance et solitude** et qui, dès qu'on leur parle d'autonomie, entendent « qu'on ne les aime plus »...

Pour cette raison, l'éducation affective des Taureaux se fait toujours – à un moment ou un autre de leur existence – à travers l'apprentissage d'une prise en charge personnelle de leur trop-plein d'émotions et de désirs. A force de s'être entendus dire ou suggérer : « *Lâche-moi, tu m'étouffes !* », ils finissent par concevoir que la vie peut être autre chose que d'être « collé », fondu dans l'être aimé tel le fœtus dans sa mère… mais non sans peine ! Le souvenir de la matrice-mère fusionnelle, s'il n'est pas tout à fait aussi important que dans le signe du Cancer ou du Poissons, reste néanmoins prédominant, jusqu'au moment où les natifs parviennent à basculer du côté de la créativité et du travail, canalisant ainsi – de façon constructive et adulte – leur ardente nature.

Non, l'amour ne se mange pas comme le cake, en grosses tranches bien épaisses… Il est toujours temps de le rappeler à un Taureau, mais il est, pour lui, toujours trop tôt pour l'accepter. **Mourir d'amour lui paraît toujours mieux que de « mégoter » sur ses élans,** alors ? On ne peut pas dire que cela s'arrange facilement car, on l'aura compris à travers ce qui précède, le Taureau conserve très longtemps ses émotions intactes, même lorsqu'elles sont intoxicantes ; il les stocke et sait mal les faire circuler, quant à les éliminer… il lui faut vraiment beaucoup de temps pour ruminer, digérer et enfin… évacuer. Pendant ce temps, d'autres auront vécu plusieurs amours, mais certainement pas avec la même ampleur ni la même intensité.

≋ ♓ ♈ ♉ ♊ ♋ ♌ ♍ ♎ ♏ ♐ ♑

6. Posséder à en mourir

Appétits et appétences, désirs et envies, émotions et sensualité… tout chez le Taureau se conjugue au futur énorme, et on imagine mal pourquoi et comment le mécanisme de production et de consommation viendrait à s'épuiser ou à s'arrêter. Et pourtant… une fois satisfaites, les projections du Taureau virent à la routine. Apparaît alors l'autre versant de sa dynamique : de régulier il devient répétitif, d'opiniâtre il devient lent, de désireux il devient avide, de tranquille il devient inamovible, de réaliste il devient matérialiste, de casanier il devient empâté et de constructif il se mute en conservateur.

Sa vie semble s'arrêter là, dans un embourgeoisement de type tout à fait balzacien, sans aucune étincelle pour secouer toute cette passivité, sans aucun espace pour recommencer puisque tout a été pensé, réalisé, consommé et destiné à se répéter à l'infini.

Parvenu à sa phase de concentration, le Taureau devient bœuf. Il se désintéresse de toute possibilité de changement, et son oralité, là où elle était un aiguillon titillant, devient un mécanisme d'obstruction : « *Je possède et c'est fini, j'ai donné forme à mes pensées et rien au monde ne remettra en cause l'acquis* », tel devient son discours. Routine et prosaïsme s'installent, s'instaurent comme une loi vitale et indestructible. Plus trace alors de fluidité ni de mouvement ; la matière – sa chère matière – devient bloc, statue, tombeau. Lui qui aime tant la vie, il « s'assoit » dessus, s'y vautre… et, de ce fait, **la vie s'arrête pour devenir une mort.**

L'incapacité à imaginer l'idée de perte et de destruction finit par être la plus sûre manière de mourir, par *asphyxie* et *absence de souffle*. On connaît beau-

Le bœuf, animal sacré dans toutes les traditions.
(Jade du XVIIe siècle, dynastie Ming ;
Victoria & Albert Museum, Londres.)

coup de Taureaux de ce type, assis sur leurs acquis comme sur un trône, momifiés dans leur réussite. Les valeurs terrestres montrent alors ce qu'elles ont de plus terriblement encroûtant. Le fatalisme arrive, qui dit « que tout sera comme cela l'a toujours été parce que ça l'a toujours été ». Et il en faut beaucoup – un cataclysme, une foudre, un tremblement de terre, un déluge – pour arriver à bouger un Taureau englouti dans la gangue protectrice de ses acquis.

Boucle parfaite. Désir envolé. Matricité. Encrassements de toutes sortes, maladies d'excès et mélancolies de tous types font alors leur apparition. Le problème est, qu'avec l'âge, s'il aperçoit l'occasion de tout « chambarder » et de se « refaire une seconde jeunesse », le Taureau **renonce, même s'il est tenté, à toute remise en question.** Henri Troyat, natif de ce signe, a admirablement – et cruellement – décrit ce comportement névrotique dans son ouvrage *Sous le* *signe du Taureau,* peut-être pour l'exorciser car, effectivement, à force d'être de toutes les flammes et de tous les intérêts, le Taureau devient alors un individu sans aucun intérêt !

La création humaine se déroule toujours en trois phases : **expansion, concentration** puis **destruction.** Ces phases correspondent à celles de la Lune, donc à tous les rythmes cosmiques, terrestres et humains. Le Taureau, signe de la Création, en prise directe avec les rythmes essentiels de la vie, calque toute son existence sur cette triphasité. Parvenu au stade de la conservation orale la plus totale, il s'engage dans sa phase de destruction... pour que renaisse la vie. C'est alors qu'il retrouve, au fond de son inconscient, les valeurs des deux signes qui lui sont « connectés » par opposition : le Scorpion et, par antinomie, le Verseau.

7. Détruire pour aller plus loin

Pour aller plus loin, il faut pouvoir être en face d'un miroir qui renvoie une image un tant soit peu grossie, exagérée et différente de celle que l'on est confortablement habitué à contempler chaque jour, ne se référant qu'à soi-même.

En chaque signe du zodiaque existe un miroir à double face : celle du signe solaire et celle du signe opposé. C'est comme si, d'un coup, on se voyait de dos et que l'on puisse s'observer comme on verrait un étranger, à contre-jour ou à rebours. Sûr qu'une telle vision « révisée » de nous-même nous apprend bien des choses et nous invite ensuite à « bouger de fond en comble »...

Ainsi le Taureau, arrivé au « pire de lui-même », ayant donné le meilleur de sa substance, doit aller chercher d'autres ressources dans une vision du monde différente de la sienne, dans un « regard-scanner » tapi au fond de son inconscient comme une réserve pour les jours particuliers. La face double de son miroir s'appelle **Scorpion,** puisque le Scorpion est son jumeau ennemi, mais surtout son alter ego vital lorsqu'il s'agit d'évoluer.

8. L'apport du Scorpion

N. B. : pour qui veut un peu évoluer en astrologie et sortir des critères rebattus, il s'agit en tout premier lieu d'arrêter de considérer qu'il existe six axes de deux signes opposés chacun. Loin d'être opposés, ceux-ci sont jumeaux : **le zodiaque est composé de six paires de signes jumeaux.** Ainsi, si chaque signe poursuit son objectif central, l'enjeu sur lequel repose le sens vivant de son existence, **la méthode pour y parvenir** (la « boîte à outils » et sa notice explicative) **se trouve dans le signe jumeau d'« en face »,** dont l'influence est décrite ci-après.

On dit ce signe destructeur, absolu, « jusqu'au-boutiste » et intraitable... et c'est vrai ! Ces caractéristiques constituent autant de défauts que de qualités suivant l'utilisation qu'on en fait. Or, parvenu à sa phase de concentration, le Taureau a besoin de la force de destruction, d'annihilation et de « bombardement » plutonien du Scorpion. A eux deux, ils connaissent les secrets de l'humain, « depuis toujours et pour toujours », et peuvent vraiment jouer avec le feu et la matière pour en produire le meilleur ou le pire, au choix et suivant les circonstances.

S'il tend son oreille vers son for intérieur, le Taureau entend les forces révolutionnaires du Scorpion lui murmurer « que la matière ne sert à rien à être inerte et qu'il faut tout passer au lance-flammes le plus impitoyable pour que la mort soit l'alchimie transmutatoire la plus constructive, l'acte de métamorphose fait dans les profondeurs ». Alors seulement, il peut passer le cap et poursuivre sa route, sur une terre toute neuve à l'horizon renouvelé. « Ce n'est que quand les champs ont brûlé que la terre redevient fertile » ; après cette période de jachère, le Taureau peut reprendre son labour et **s'aventurer vers des semailles nouvelles,** tout neuf, comme par un frais matin de printemps... S'il veut bien considérer sa propre part de Scorpion, le Taureau se rappelle que c'est de la mort que vient la vie.

9. L'apport du Verseau

Pour chaque signe existe un « total étranger », un signe « martien » qui, parce qu'il possède exactement les valeurs qu'il n'a pas, lui apporte une leçon essentielle. Pour le signe du Taureau, le « parfait martien » s'appelle **Verseau,** ce Verseau trop léger, inconstant et – d'après lui *inconsistant* – qui ne fait que l'exaspérer autant que lui-même irrite le Verseau. Si le Taureau veut bien s'y ouvrir, le discours de cet absolu étranger représentera pour lui autant de pistes de vie...

Le rôle du Verseau est de recréer. A partir de la matière ancienne et ancestrale, le Verseau refait du neuf. Sa force vitale est celle de la **remise en question fondamentale des ordres, des acquis et des possessions.** Gouverné par Uranus, il apporte de l'inspir, c'est-à-dire – pour le Taureau asphyxié et sclérosé par son fatalisme – une grande bouffée d'air frais qui prouve, même si le Taureau résiste, « que rien ne sera comme ça l'a été et que tout peut être revu, repris et corrigé ». Son optimisme foncier et son besoin de bouger et de faire bouger culbutent le Taureau mais lui

Allégorie de la Force, toile de Gérard de Lairesse.
(XVIIᵉ siècle ; musée des Beaux-Arts, Orléans.)

Le Taureau naît sous le signe de Vénus…
(La *Vénus* de Braziano, peinture du XVIᵉ siècle.)

font le plus grand bien. Le Verseau cérébralise et assainit le terrain émotif et affectif « bourbeux » du Taureau et met un peu de raison là où il n'y avait que passions et ardeurs. Impossible à freiner et à attraper, le Verseau revendique autonomie et indépendance et, après avoir désespéré le tendre bovidé, il finit par lui donner quelque goût pour la maturité amoureuse. Là où il n'y avait que désir de fusion et d'oralité, le Verseau introduit enfin la **dimension de l'amitié et de la solidarité,** mais avec partage des territoires et sans dévoration mutuelle.

S'il veut bien se regarder dans l'œil peu complaisant de son copain Verseau, le Taureau connaîtra une version de l'existence qu'il ignorait chromosomiquement. Et sa vie en sera certainement révolutionnée, en même temps que propulsée, grâce aux puissants « turboréacteurs » uraniens, vers l'avenir auquel il avait – presque – renoncé.

10. Synthèse

En s'appuyant sur les éclairages et en intégrant les solutions données par ces deux signes, le natif du Taureau peut mieux lire son histoire et la comprendre pour mieux la dépasser. Il saisira alors que les caractéristiques de création et de possessivité – maladive – qui lui sont attribuées viennent comme en réponse à une angoisse originelle fondamentale, forgée dès le premier mois de sa vie, du nourrisson « en manque de mère » et, plus particulièrement – puisque l'oralité caractérise le signe – « en manque de sein ».

Bien entendu, tous les Taureaux ne sont pas systématiquement déséquilibrés mais, lorsqu'une perturbation apparaît, elle prend la forme d'une résurgence de ce syndrome, comme s'allumerait une lampe rouge révélatrice du signe.

Vénus (miniature extraite du *De Sphæra,*
manuscrit italien du xvᵉ siècle.

(Bibliothèque Estence, Modène.)

II

Comprendre le Taureau

1. La structure élémentaire

✧ *SIGNE FEMININ :*

Polarité féminine, en langage astrologique, exalte la composante réceptive, passive, aimante et accueillante, grandes caractéristiques yin d'intériorisation du principe nocturne, humide et froid. Cela donne des dispositions à accueillir, comprendre, protéger, réconcilier et retenir plutôt qu'à extérioriser, aller de l'avant, diviser et revendiquer. Cela signifie aussi que le signe est généralement **mieux vécu par les femmes que par les hommes,** car il y a alors harmonie entre la polarité du signe et le pôle sexuel de la personnalité.

— Les **femmes** du signe affichent d'ailleurs une forte personnalité et sont facilement reconnues comme des personnes de caractère, tant il est vrai que les caractéristiques du signe semblent constituer un catalogue de ce qu'est la *Force faite femme.*

— Les **hommes** du signe n'en sont pas pour autant dépourvus de caractère, mais l'aspect introverti de la polarité féminine les « empêtre » souvent, surtout dans une société peu encline à reconnaître les « hommes féminins ». Ils ont tendance à vivre les tendances négatives, rétensives et possessives du signe de manière outrée, voire pathologique, et accusent une propension à être fascinés par les femmes dominatrices. Vénus faite homme ne se sent pas toujours à l'aise, surtout dans son enfance, qu'elle passe « fourrée dans les jupes de sa "grande" maman »…

✧ *SIGNE DE TERRE :*

Comme la Vierge et le Capricorne, le Taureau appartient à l'élément Terre, ce qui lui assure à la fois une **abondance de moyens** et une **savante façon de les gérer.** Le sens pratique, la persévérance, la méthode, l'ordre, la précision et le suivi concret et réaliste des choses sont ses qualités qui, au négatif, se mutent en obstination, en lenteur, en matérialisme et en une sorte de frilosité qui, à l'excès, en fait un être inamovible et lent.

Opposé du Feu, l'élément Terre symbolise l'existence concrète des choses, mais aussi leur possible transmutation de réalisation en destruction. Il est associé à la charpente osseuse, à l'aspect corporel, au support physique et visible.

En Taureau, il s'agit de la terre du printemps, de la floraison de mai, de l'attirance vénusienne pour une nouvelle vie possible. La terre y est avide et féconde et s'offre tout entière aux élans des signes de Feu, et notamment du Bélier. Elle représente le principe maternel universel, la Magna Mater toute-puissante, mais aussi toute dévorante. Comme le dit M. Sénard, elle est *« la réceptivité plastique, l'attraction magnétique, la solidité* (1) *»* autant que les principes de cohésion, d'adhésion, d'attraction et de répulsion propres à *« l'énergie de la matière »*.

---

1. Voir, de M. Sénard : *Le Zodiaque* (Editions Traditionnelles).

Le Taureau allant au sacrifice.
(Bas-relief ; musée du Louvre, Paris.)

◈ *SIGNE FIXE :*

Comme le Lion, le Scorpion et le Verseau, le Taureau est un signe fixe, ce qui signifie qu'il constitue le principe même de son élément, le représentant dans son aspect le plus rigide. Cette fixité est une rigidité, une **force de cristallisation** – et presque de sclérose – dans des modes de fonctionnement précis. Cela dénote également de la **stabilité,** de la **fiabilité** et de l'**authenticité,** mais parfois aussi une certaine routine dans l'obstination et l'habitude. Souvent manichéens, les signes fixes *manquent de souplesse et d'adaptabilité,* jusqu'à l'extrémisme.

Le Taureau, signe de Terre, représente une caricature à la fois des qualités et des défauts des signes fixes.

Les hommes du signe, en particulier, s'ils vivent en défaut leur « vénusté », en font une charge pondérale supplémentaire et deviennent tyranniques et « emmurés » dans leurs principes. S'ils savent, à l'inverse, jouer de leur côté rassurant et constructif, alors les fixes – fervents et entiers – donnent le meilleur d'eux-mêmes.

✧ *TEMPERAMENT NERVEUX :*

C'est dire que le Taureau s'échauffe vite et que **ses sentiments l'emportent dans tous les aspects de sa vie,** autant que dans son équilibre mental et physique. Les excès d'humeur finissent – s'ils ne trouvent pas à s'évacuer – par épaissir le sang et le charger de diverses toxines, tant physiologiques que psychiques.

✧ *LES ETOILES DU TAUREAU :*

– Une étoile dans le firmament : **Aldébaran,** la brillante étoile fixe rouge pâle.

– **Orion** aussi, étoile du Scorpion, la plus brillante de nos étoiles, qui disparaît au printemps au fur et à mesure que le Soleil monte dans le firmament et vient – analogiquement – « triompher des forces des ténèbres » symbolisées par le Scorpion, l'alter ego du Taureau. Orion est donc invisible aux natifs, mais continue de projeter son ombre portée sur leur inconscient… partie obscure d'eux-mêmes.

– **Les Pléiades** enfin, groupe d'étoiles blanches que l'on représente sur l'épaule du Taureau.

४ TAURUS.

Le Taureau, extrait d'un manuel d'astrologie du XIXᵉ siècle.

(*The Astrologer of the Nineteenth Century,* Royal Astrological Academy, Londres.)

2. La mythologie du signe

Pour comprendre l'essence des signes, rien de tel que la mythologie qui en constitue la source et dont les images permettent de saisir les dimensions cachées. Dans le cas du Taureau, la mythologie est lumineuse puisqu'elle nous entraîne dans les **entrailles des origines terrestres,** à travers la cosmogonie.

a) Gaia, la Terre mère

Au début était Gaia, « la terre en voie de formation » d'après la cosmogonie hésiodique. Du magma originel, tout de suite après le Chaos, elle émergea un jour du néant et donna naissance à un fils : Ouranos (Uranus). Avec lui, elle forma le premier couple divin, mettant au monde une génération de dieux et de monstres : les Titans, les Titanides, les Cyclopes, les divinités marines et autres créatures du début des Temps. Au cours d'autres accouplements – nombreux et puissants – Gaia prend vraiment figure de Terre mère, origine féconde de tout, et est vénérée (associée à Déméter) comme divinité de la fertilité du sol et protectrice, en raison de ses nombreux enfants, de la *procréation charnelle.*

On voit bien le rapport avec le Taureau dont l'analogie à Gaia le rapproche de son aspect créateur et procréateur inaltérable, en même temps qu'il signe sa « toute-puissance » de caractère (en particulier pour les femmes du signe) puisque nul – et surtout nul homme – ne peut se mesurer à la Force originelle que représente Gaia.

b) Vénus, fille d'Uranus

Nul homme ? En tout cas, Gaia n'a besoin de personne pour procréer Uranus, son fils, et avec lui engendrer tout le reste. Elle est la seule à pouvoir castrer Uranus, en armant d'une faucille en silex la main gauche (maudite depuis) de leur fils Cronos-Saturne ; le membre d'Uranus, tombant dans les eaux matricielles et fécondes de la mer – royaume de Neptune – donne naissance à Vénus-Aphrodite : « *Le membre coupé tomba dans la mer, et de l'écume formée naquit la belle Aphrodite, tandis que des gouttes de sang tombées à terre jaillissaient les terribles Erinyes, furies qui vengent les parricides. La faucille, qui avait chuté elle aussi dans la mer, donna naissance à l'île de Corfou.* »

Vénus est donc fille d'Uranus, fille du ciel étoilé, et elle est d'ailleurs associée à Uranie, la déesse des étoiles et de l'astronomie. Fille du principe divin originel et non incarné, Vénus est non seulement fille de Dieu, mais **fille-dieu** elle-même, elle seule ayant la capacité – et le devoir – d'incarner Dieu sur Terre. Elle condense tous les secrets et tous les messages qui, avec Uranus, n'en resteraient qu'à l'état éthérique, inutilisables et inaccessibles aux humains.

Vénus possède donc, par essence, la Connaissance. Elle figure l'Eternel Féminin, sait établir – parce qu'elle est femme – le lien entre le Ciel et la Terre en faisant résonner la parole d'Uranus ici-bas, et en éclairant les hommes afin que leur conduite quotidienne les rapproche de l'Eternel.

Nulle autre déesse ne réunit comme elle toutes les facettes de la féminité. Vénus est d'abord fille de son père, sœur, amie puis amante, puis fille mère et enfin épouse adultère du vieux Héphaïstos. La ceinture qu'elle

Le demi-dieu Hercule contre le taureau de Crète.
(Bas-relief grec.)

porte symbolise la réunion en elle – et à travers elle –
de la déité et de la maternité. En ce sens, elle a toujours – contrairement aux autres déesses qui n'ont à
leur actif qu'une seule facette de la féminité – tous les
pouvoirs et tous les pardons, car son essence même la
rend « complète et absolue ». C'est ainsi que, dans le
travail d'Hercule qui est analogique au signe du Taureau (la capture du Taureau de Crète), on retrouve le
principe de l'Illumination, le « troisième œil » que
Vénus représente sur Terre et que le signe du Taureau
véhicule avec lui.

Alice A. Bailey (2) en dit ceci : « *Le résultat du travail entrepris en Taureau et de son influence est la glorification de la matière et, par elle, l'illumination subséquente. Ce qui empêche la gloire (l'âme) et l'éclat qui émanent de Dieu au sein de la forme de rayonner pleinement, c'est la matière opaque. Lorsqu'elle a été consacrée, purifiée et spiritualisée, la gloire et la lumière pourront resplendir et la Lune pourra être exaltée dans le signe. Cela se fera grâce à l'alchimie de Vénus, symbole de l'amour terrestre et céleste, de l'aspiration spirituelle et du désir charnel qui éveille à Dieu. Vénus est avant tout Amour, créatrice de la beauté, du rythme et de l'unité. C'est pourquoi la colombe blanche, oiseau divin, est l'oiseau sacré de Vénus.* »

Nous voilà bien loin des embourbements glauques de la matière que d'aucuns veulent uniquement lire dans ce signe. **Amour,** oui, mais celui qui, dans le corps des êtres humains, permet d'aller à Dieu et de passer par le cœur – et non seulement par la chair. Vénus, si elle n'était pas fille d'Uranus et sa représentante sur Terre, ne pourrait pas accomplir sa **mission d'union de la chair et de l'âme.** Mais alors le Taureau ne serait pas le Taureau. Comme dans la danse indienne – la danse et le chant étant, par excellence, les arts du Taureau – l'œil sensuel et langoureux des natifs éveille de bien sulfureux désirs… qui sont autant d'appels à les suivre vers de bien plus spirituels cieux ! Il s'agit alors bien, en Taureau, de « grâce » qui établit un pont entre Ciel et Terre : *grâce* de la danse et de son âme artistique (le Taureau est tout à la fois « enrobé et gracieux »), et *grâce* reçue du Ciel qui libère des instincts. Rappelons que ce principe d'Amour spiri-

2. Voir, de Alice A. Bailey : *Les Douze Travaux d'Hercule* (Dervy-Livres).

tualisé, en même temps que terrestre et maternel, est aussi en vigueur dans les autres civilisations qui ont leurs équivalents vénusiens : ainsi trouve-t-on Isis en Egypte, Parvati en Inde, Ishtar chez les Babyloniens et Anata chez les Phénicéens. Le taureau ou la vache sont toujours leurs emblèmes.

c) **Cybèle l'invincible**

Au principe du féminin tout-puissant correspondent toujours une part positive et lumineuse, et une part négative, destructrice et sombre. Autant le féminin peut être splendide et pourvoyeur de vie, autant, outré, il devient turpide, dévorateur et emblème de mort, rappelant que tout pouvoir exercé jusqu'à l'outrance annonce la mort. Ainsi, en Vénus dort Cybèle, sa partie sombre. Cybèle, elle aussi symbole de la vie végétative et de la fertilité – **Jupiter féminin** pour les Romains – se déplace en char tiré par ses lions, signes de force invincible et impitoyable. Sur sa tête droite au majestueux port impérial, des tours symbolisent les villes qu'elle protège. Est-elle pour autant un principe de la vie ?

Oui, mais… Cybèle fait partie de la longue liste des toutes-puissantes déesses vierges, les plus redoutables et les plus violentes (3). Elle donne en effet naissance à la nature, mais en détournant le principe procréateur masculin à son profit : chevauchant ses lions, elle émascule alentour avec sa faucille, faisant gicler la semence dont la Terre est féconde. En un mot, elle « remplace » les hommes tout en leur restant inaccessible. Hathor en Egypte – la déesse vache (représentée soit avec une tête de vache, soit avec des

3. Voir, de Joëlle de Gravelaine : *La Déesse sauvage* (Editions Dangles).

Dans la lignée des maîtresses-femmes, Hathor, déesse égyptienne de l'amour et des arts, emblème de la pharaonne Hatshepsout.
On la représente avec une tête de vache et le taureau blanc est son symbole.

cornes entre lesquelles « monte » la pleine Lune, le Taureau blanc restant toujours son symbole) – est son équivalent.

Cette violence aveugle, née du désir de posséder – quitte à déposséder – est inhérente au caractère taurien lorsqu'il déploie ses forces les plus sombres. Les femmes vivent les parts Vénus et Cybèle d'elles-mêmes en alternance, suivant les moments et les situations. C'est pourquoi elles sont de si **fascinantes maîtresses** et de si **redoutables mères,** tout Amour mais aussi tout Pouvoir. Bien malin qui y échappe et, souvent, la fuite devient salvatrice pour leurs fils, amants ou maris qui ne veulent pas finir engloutis ou diminués…

Les hommes du signe, quant à eux, vivent en alternance leur **désir d'engloutir et d'être engloutis,** avec les rapports d'amour/haine et de passion/répulsion qui s'ensuivent. Affres et délices des vénusiens attachés à leurs proies, eux-mêmes proies et bourreaux…

d) Thésée et le Minotaure

La traversée du labyrinthe est certainement l'un des mythes les plus importants de la mythologie grecque. Thésée y est reconnu comme un héros parfait

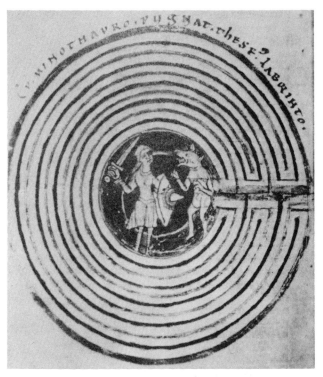

Thésée combat le Minotaure au centre du labyrinthe.
(Manuscrit du XIIᵉ siècle ; Bayerische Sytaatbibliothek, Munich.)

dont tous les actes sont autant de victoires sur les instincts macabres et les principes négatifs de l'humain.
L'épisode du labyrinthe est toujours un délice pour les
psychanalystes qui y voient, à juste titre, l'image des
inextricables souterrains de l'inconscient dans lesquels il faut s'engager – au risque de sa vie – pour
triompher de son passé et de tous les liens ténébreux
qui nous enchaînent, autant qu'ils nous guident comme le fil d'Ariane guida Thésée lorsqu'il s'engagea

dans le labyrinthe pour y tuer de ses mains le mons-
trueux Minotaure. La légende serait ici trop longue à
relater et, pourtant, chacun des détails y est riche
d'enseignements et engendre de profondes médita-
tions.

Ce qui nous importe ici plus directement, c'est de
comprendre que cette victoire contre le Minotaure
(monstre symbolisant toutes nos « glauques » attaches
et nos liens les plus limitatifs de notre liberté) dans le
labyrinthe (image de nos « tréfonds ») se fait avec courage (Thésée), conscience et éveil (le fil d'Ariane) et
surtout **sacrifice.**

Le Taureau, animal de sacrifice par excellence,
porte en lui-même sa part de *sacrifices acceptés,* le
premier d'entre eux (et le plus difficile à faire) étant le
sacrifice du trop grand attachement à la mère et à
l'oralité du nourrisson téteur qui continue de som-
meiller – longtemps – en chaque natif. Or, pour être
libre et adulte, **il faut en passer par la « petite mort »,**
celle qui laisse le labyrinthe maternel et familial der-
rière soi.

e) Pluton-Hadès : l'amant contre la mère

C'est ainsi que l'on retrouve la nécessité d'intégrer
les notions du Scorpion, gouverné par Pluton. Dans la
mythologie gréco-romaine, c'est Pluton-Hadès (roi
des Enfers) qui ravit à Gaia-Déméter sa fille Coré (la
jeune fille sans nom) et l'unit à lui par « grain de gre-
nade », joli symbole de l'acte d'amour qui place
l'amant – et non plus la mère – au centre de la vie
humaine.

Grâce à Pluton-Hadès, le monde revient à l'endroit,
les hommes procréent et chacun reste à sa place. Gaia-
Déméter, après avoir affamé la Terre par jalousie et

rage, finit par être obligée de signer ce pacte avec son
« beau-fils »… Toutes les forces de transmutation – et
donc de libération – sont ainsi réactivées.

3. Correspondances dans la mythologie égyptienne

Différente de l'astrologie occidentale dont elle est
en partie l'origine, l'astrologie égyptienne apporte un
autre éclairage aux signes et en découvre des aspects
particuliers selon les périodes de naissance. On s'y
référera pour élargir le champ de vision de son signe
solaire occidental.

a) Natifs du 21 avril au 8 mai : sous le signe d'Horus

C'est avec Horus que la dimension politique de la
justice s'incarne dans le monde mythique des anciens
Egyptiens. Fils d'Isis et d'Osiris, ce dieu vengeur mena,
avec Seth, un combat légendaire. Avec l'aide des par-
tisans fidèles à son père, Horus put reconquérir le
royaume envahi et, au cours de la lutte, celui de Seth
dans les terres nubiennes, devenant ainsi le premier
dieu souverain de la grande Egypte unifiée. On le voit
toujours combattant, aidé par l'acuité de son regard
justicier. Lors du combat avec Seth, la force d'Horus
enfanta l'histoire des « souverains magnifiques » et de
la puissance de protection ramassée dans l'éclat de
l'*Oudjat,* œil magique arraché à Osiris et repris par
Horus. Le dieu oiseau possède, à un degré suprême,
cette vertu bénéfique de l'œil lumière, de l'œil pacifi-
cateur qui redonne la vitalité des fluides à ce qui était
asséché ou figé.

Le natif d'Horus s'avance dans le monde avec l'éclat
d'une personnalité à la volonté aiguë. Son intelligence

Zodiaque peint sur le couvercle d'un sarcophage égyptien.
(Gravure du XIXᵉ siècle.)

et l'ampleur de son érudition le font paraître capable de tout comprendre, de tout découvrir ; son esprit insurrectionnel doit être précocement maîtrisé avant que son impatience à exercer une influence ne corrompe ses stratégies en opportunisme. Son psychisme profond est mal équilibré entre une idéalisation bien naïve de toute la dimension virile et paternelle, et un certain dédain pour ce qui est apporté par l'ensemble des mères et des épouses.

– *Signes amis :* Geb et Bastet.
– *Couleurs bénéfiques :* carmin (hommes) et or (femmes).

Horus.   Anubis.

(Dessins : Éditions Gendre-Cartax.)

b) Natifs du 9 au 20 mai : sous le signe d'Anubis

A ce dieu à tête de chien sauvage, on attribue l'invention ainsi que la diffusion des techniques d'embaumement du corps des défunts. A l'image des chiens errants, ce dieu explora chaque cimetière, accomplissant l'office d'une voirie sacrée. Les soins d'Anubis s'apparentent à l'application et au talent d'un bon peintre ou d'une cuisinière émérite, par le souci qu'il manifeste de choisir les meilleures bases pour préparer des bains, des baumes aux aromates puissants, pour découper et orner comme il convient la part corporelle que l'on veut rendre indestructible. La besogne funèbre n'est jamais macabre. Ce dieu symbolise la mort et les errances des défunts tant qu'ils ne parviennent pas à convaincre Sekhmet d'offrir à leur voyage funéraire le terme de la vallée de l'immortalité.

Habile et plein de compassion, le natif d'Anubis sait que subsiste en lui une présence de nuit. Fataliste, son caractère est profondément ambivalent. Ses souffrances – très anciennes – créent un mur d'inhibition qui, souvent, peut paralyser ses initiatives amoureuses. Enfin, il apparaît comme une individualité profonde, consciente des tiraillements et prête à envisager les solutions nécessaires pour y remédier.

– *Signes amis* : Bastet et Isis.

– *Couleurs bénéfiques* : terre de Sienne (hommes) et pourpre (femmes).

《◎》

Ne prenez pas ces mythes pour des historiettes sans intérêt !

A des niveaux plus ou moins importants, ces images tapissent l'imaginaire et l'inconscient des natifs, et ces « drames » se vivent en chacun d'eux, aux moments clefs de leur existence. Les avoir repris ici en détail a pour but de mieux comprendre les moteurs essentiels de la personnalité.

4. Synthèse

Se libérer de ses attachements originels.

Entier, créatif, sensuel et travailleur, mais aussi notoirement possessif, jaloux et rancunier, chaque Taureau devrait réfléchir à l'importance de ses attachements originels qui, lorsqu'ils restent obscurs et excessifs, finissent par lui jouer de méchants tours, notamment en le rendant régulièrement « victime d'abandon » et en prise avec des peines de cœur d'autant plus importantes qu'il ne sait pas « négocier » ses désirs et veut trop, tout le temps.

Les peines de cœur et la solitude ne valant rien au Taureau (qui n'est pas fait pour vivre seul et qui ne

La Terre. Toile de Claude Deruet (XVIIe siècle), faisant partie de la série des Quatre Eléments commandée par Richelieu pour la reine.
(Musée des Beaux-Arts, Orléans.)

peut voir la vie sans amour et sensualité accomplis et
partagés), il est toujours temps d'éviter d'induire la
fuite de l'être aimé. Modérer sa gourmandise et son
absolutisme revient à corriger le plus gros de ses
défauts, et le Taureau devient alors, pour de vrai, l'être
le plus adorable et le plus irrésistible.

Vénus et son monde.
(Gravure du XVIe siècle ; Royal Astrological Society, Londres.)

5. Résumé : forces et faiblesses du Taureau

a) Les forces du signe

✤ Acuité d'esprit, intuition, prescience des êtres et des situations…

✤ Courage, persévérance, opiniâtreté, constance…

✤ Créativité, grâce, joliesse, intensité, sensualité…

✤ Amour, union du cœur et de l'âme…

✤ Authenticité, fiabilité, sens de la noblesse…

✤ Lucidité, intransigeance, héroïsme, bravoure…

✤ Capacité de gestion des moyens, vues à long terme, synthétisme…

✤ Fidélité, résistance, puissance, concentration…

✤ Sens critique, réfractaire, peu influençable…

✤ Enorme capacité de travail, réalisation, productivité…

b) Les faiblesses du signe

✤ Possessivité, jalousie, avidité…

✤ Oralité pathologique…

✤ Pouvoir, domination, despotisme, tyrannie…

✤ Aveuglement colérique, œillères affectives…

✤ Obstination, immobilisme, routine…

✤ Dramatisation, pessimisme, dénigrement, fatalisme…

✤ Roublardise, paillardise, simplisme, rusticité…

✤ Emportements, fulgurances, impulsivité, impatience…

✤ Négativisation, destruction, obstruction…

✤ Lenteur, pesanteur, tendance au renoncement…

Ishtar-Astarté, déesse babylonienne de l'amour et du carnage, rappelle que plaisir et passion, tendresse et guerre vont ensemble, ce qui est bien dans la psychologie taurienne.

(Statuette d'albâtre du IVᵉ siècle apr. J.-C. ; photo Giraudon.)

III

Les ascendants du Taureau

Comme nous l'avons dit dans l'« Introduction », le signe ascendant, représentant la maison I, reflète votre personnalité.

Sur le plan astronomique, si le signe solaire indique la position du Soleil au mois de la naissance, l'ascendant pointe la position du Soleil aux jour et heure de naissance. Si le Soleil indique métaphoriquement la façon dont on perçoit la lumière, l'ascendant indique la manière dont on « voit midi à sa porte » et, à l'intérieur d'un même signe, chaque ascendant permet de le voir différemment, c'est-à-dire de **percevoir la réalité sous une autre facette…**

En ce sens, l'ascendant est un miroir grossissant à travers le prisme duquel on se voit et l'on est vu. Il est donc très important et, afin de mieux en cerner les caractéristiques générales, nous vous recommandons vivement de lire l'ouvrage de cette collection qui lui est consacré. En attendant, vous trouverez ici une première approche succincte de votre signe solaire avec les correctifs donnés par les 12 ascendants.

Si vous ne connaissez pas encore le signe de votre ascendant, son calcul – sans être très complexe – est néanmoins assez long et délicat, devant se référer à quatre tableaux différents. Nous vous conseillons de vous le faire préciser instantanément par un serveur astrologique télématique ou un ordinateur de calculs astrologiques.

Astrologues arabes effectuant des observations.
(Gravure du XVIᵉ siècle.)

1. Taureau/ascendant Bélier

Le Bélier donne plus d'agressivité, de combativité et une attitude plus vivace au quotidien. Il colore aussi le tempérament du Taureau de brusquerie et de vitesse, pour produire une personnalité où priment obstination et énergie. Les natifs suivent leurs objectifs jusqu'à l'accomplissement, d'une seule traite, sans s'occuper des dégâts occasionnés au passage.

Les hommes sont décidément virils, les femmes sont quelque peu difficiles à suivre et à manier. Ces natifs ont besoin qu'une dose d'humour et de dédramatisation vienne de l'extérieur pour ne pas se noyer dans leur émotivité et leur sensualité légendaires.

2. Taureau/ascendant Taureau

Un Taureau au carré n'est jamais manipulable autrement qu'avec des pincettes ! Il ne faut ni le bousculer, ni le déranger et encore moins le prendre au dépourvu ou dans le « mauvais sens du poil » ! En revanche, ces natifs sont déterminés, productifs, tenaces, efficaces sinon totalitaristes.

Très sensuels, jouisseurs des joies et des nourritures terrestres, ils y trouvent aussi leurs plus grands pièges. Il faut impérativement leur apporter de l'air et ne pas les laisser s'enliser dans le bourbier de leur répétitivité et de leur hyper-affectivité. En échange, ils épauleront leur famille, leurs proches et leurs amis quoi qu'il advienne.

3. Taureau/ascendant Gémeaux

Ici, l'humour et la légèreté se marient avec élégance au charme et au tempérament artiste. Ils sont plus pétillants et enjoués, et savent user de leur physique autant que de leur parole. Ils peuvent aussi devenir volages et ne jamais rien refuser, surtout pas eux-mêmes !

Ces natifs se sentent parfois pris dans leurs contradictions entre chair et esprit ; ils passent de phases d'insouciance à des phases de pessimisme excessif et peuvent, malgré leurs dires, se révéler d'une vraie fragilité affective et nerveuse.

4. Taureau/ascendant Cancer

Pour concevoir, construire et décorer une maison, puis la remplir d'enfants et de gaieté, il n'y a pas mieux ! Ces natifs sont tout en rondeurs et en sucre, et celui qui les fera sortir de leur cocon mirifique n'est pas encore né ! Ils sont les meilleurs parents du monde et l'univers de l'enfance reste leur privilège.

Conservateurs dans leurs vues et leurs goûts, ils sont aussi le prototype du parfait époux, maître de maison accompli, bonhomme et chaleureux. Mais qu'on ne touche pas à leur carapace et qu'on ne leur présente aucun imprévu. Trop sensibles, affectivement immatures, ils haïssent l'idée même d'autonomie et pourraient bien devenir étouffants.

5. Taureau/ascendant Lion

Leur vie est telle une œuvre d'art ; ils en peaufinent chaque détail et ont un inégalable sens de l'harmonie entre le fond et la forme des choses. Insatiables esthètes qui ne lésinent pas sur le grand, le beau et le faste, ils affichent le plus parfait mépris pour la médiocrité, le manque de galanterie et de manières. Leur côté « star » en fait des êtres fascinants qui ne sont pas près de chuter de leur piédestal, surtout les femmes.

L'égotisme et l'emphase les guettent néanmoins, et ils doivent apprendre à ne pas s'attacher à ce qui brille. A ne voir la vie que du côté le meilleur, ils ne conçoivent pas l'idée d'échec. Ils ont néanmoins de la force à revendre en même temps qu'un cœur d'artichaut, et se retrouvent encombrés de « canards boiteux » à longueur de temps…

6. Taureau/ascendant Vierge

Logique, organisation, aspect matériel et intellectuel du monde priment chez ces natifs. Tout – des sentiments au labeur – a un prix, et ils connaissent toutes les ficelles pour ne jamais « se faire avoir ». On dirait que c'est leur leitmotiv, leur barre de direction, mais ce n'est, en vérité, que leur piètre autoprotectionnisme. Se protéger et conserver les occupe tant que cela finit par en devenir suspect. Et, du coup, on découvre des êtres tout simples, sensibles, authentiques, décidés à ne rien donner ni lâcher jusqu'au jour où ils donneront tout, et à faire taire leurs instincts jusqu'au moment où ceux-ci se débrident complètement…

Ce qui était matière devient alors âme, avec une savante et perspicace circulation de l'un vers l'autre. Pas simples, finalement, un rien masochistes et grincheux, ils disent tout maîtriser, tout savoir, et n'attendent que celui qui saura les secouer une bonne fois… pour toutes !

7. Taureau/ascendant Balance

Des vénusiens, assurément, mais version terrestre ! Les femmes sont belles comme Barbie, gentilles comme Betty Boop, élégantes, artistes, harmonieuses comme la beauté physique lorsque le sentiment courtois l'habite… Les hommes sont parfaits comme Mastroianni, mesurés comme P.P.D.A., ardents comme l'amant de lady Chaterley… Du moins dans la version soft et extérieure des choses car, tout compte fait, ils ne vivent pas toujours harmonieusement leur caractère double, se sentent très affectifs mais très indépendants, très amoureux mais très logiques, très assurés mais en doute permanent.

Idéalistes et calmes, ils deviennent « soupe au lait » et ont comme une manie de vouloir tirer leur épingle personnelle de tous les partenariats. Ils attendent une sécurité qui ne leur colle pas aux pieds, et voguent d'une vague à l'autre de leurs secousses nerveuses autant que sanguines…

8. Taureau/ascendant Scorpion

Ils connaissent tous les secrets de l'humain et s'en servent – sans s'en rendre compte – pour vous tirer par le « bout du sexe ». Ils sont extrémistes, idéalistes, colériques, exigeants, intransigeants… mais aussi passionnés et magnétiques. L'angoisse et le désir se partagent leur âme ardente et ils vous entraînent dans leur monde, à la vie à la mort !

Pas de compromis ou de demi-mesure ; ils sont animés d'une force à abattre les montagnes et s'avèrent de vraies bêtes de travail... jusqu'au moment où la certitude de la fin les prend et leur fait tout détruire, jusqu'à leurs rêves les plus réussis. Désir et impossible se côtoient en eux, mais ils sont souvent plus constructifs pour les autres que pour eux-mêmes. Ils finissent par accepter un bout de réalité dans leurs pulsions et se calment en cheminant vers la quarantaine.

9. Taureau/ascendant Sagittaire   ♉ ♐

Sains, beaux, « sensualissimes », ils sont axés sur le bien-être, la joie de vivre et la réalisation de leurs projets – toujours grandioses et humanitaires. Ils se prêtent volontiers, sont « fair-play » en tout et apparaissent même « simplets » à certains tant ils affirment leur idéal d'union du corps et de l'âme, en eux d'ailleurs possible. De nature épicurienne et sédentaire, ils sont régulièrement pris de « bougeotte » et passent de périodes « coin du feu » à des périodes « globe-trotter ».

Ils aiment les grandes tablées, les rigolades paillardes et les héros magnifiques, mais en font toujours trop et finissent par être encombrants... quand ils ne manquent pas franchement de délicatesse et de réserve. La modération n'est pas de leur acabit et, à ce niveau, ils ont tout à apprendre...

10. Taureau/ascendant Capricorne   ♉ ♑

De nature plus patiente, plus calme, tenace et prévoyante, ces natifs voient la vie avec réalisme et pondération. Beaucoup de simplicité et d'authenticité, avec un côté « près de la nature » : écologistes nés et grands amoureux de la montagne avec laquelle ils feraient volontiers l'amour, en été...

Leur fond sensuel et jouisseur apparaît nettement plus que chez un pur Capricorne et ils sont, du coup, moins fermés et moins frustrés sur ce plan, tout en recherchant imparablement vérité et sincérité dans leurs engagements. Ils ont besoin de projets à bâtir, de travail à mener à bien et présentent des valeurs morales inattaquables. Les enfants et la famille restent leur centre. Avec l'âge, la philosophie vient s'ajouter à leurs dons manuels.

11. Taureau/ascendant Verseau

Les femmes sont fatales, les hommes déroutants. Ces natifs ne sont pas simples à percevoir, surtout pour eux-mêmes, car ils sont toujours en train de vouloir autre chose que ce qu'ils viennent de construire, avec toute leur obstination et leur sens de l'innovation. Ils revendiquent la liberté pour eux-mêmes et la concèdent plus difficilement à autrui ; ils insécurisent sans supporter d'être insécurisés à leur tour. Ils ne supportent pas qu'on s'attache à eux, et manifestent des pointes de possessivité cachée.

Chez eux, c'est le cinéma au quotidien : ils allient art et technique, irréel et quotidien. Les turbulences les happent et ils rebondissent de coup de foudre en coup de gueule, de dévotion en indifférence, de rigorisme en « je-m'en-foutisme ». Bref, ils sont un monde à eux seuls et, avec le mérite d'être originaux, ont le désavantage de n'en être jamais satisfaits.

12. Taureau/ascendant Poissons ♉ ♓

Ils sont envoûtants, voilà tout ! Ils ne parlent pas car tout passe par les yeux, le cœur et surtout les pores. C'est le règne des relations épidermiques, celles où l'on sent et où l'on vibre ; ils ne cherchent pas à s'en expliquer par la raison et l'intellect... qui ne les concernent en rien ! Harmonie des formes et des proportions, sensualité sans limites, tactilité parfois « collante », ils sont de parfaites « geishas », de fins artistes, affectifs, doux, conciliants et intuitifs.

Mais qu'ils pèsent lourd ! Comment leur échapper, finit-on par penser. Comment se sortir de leurs accès de gélatine ? Capricieux et nonchalants, ils entrent alors dans de grandes colères dont l'aspect le plus culpabilisant, pour l'entourage, est bien de les voir pleurer et gémir parce qu'on les a « lâchement abandonnés ». Ils se consolent aussitôt... au prochain coin de rue.

Saint Luc l'Evangéliste, représenté avec son attribut, le bœuf.

(Toile de Martin Fréminet, XVIe siècle ; musée des Beaux-Arts, Orléans.)

IV

Energie et santé

1. Lecture cosmogénétique du zodiaque

Poussière d'étoiles, jumeau énergétique du cristal, de l'océan autant que du chimpanzé (lui-même plus proche de l'homme que du gorille…), l'humain reste un élément de la matrice cosmique qui, par l'intermédiaire de la matrice-mère, lui a permis de s'incarner… par un hasard que même les astrophysiciens les plus avancés sont toujours en train de chercher à découvrir et à expliquer. La plus grande des magies – celle du mouvement permanent des ondes vibratoires – se joue *autour* de nous, *en* nous, *avec* nous, *grâce* à nous, mais aussi parfois *malgré* nous lorsque nous l'ignorons. Les recherches scientifiques les plus pointues viennent aujourd'hui rejoindre la Tradition pour nous redonner conscience de notre identité énergétique sur laquelle nous continuons de fonctionner et qui nous spécifie tout particulièrement.

L'astrologie nous connecte directement sur cet univers vibratoire dont nous sommes issus et que nous portons en nous, à travers l'équilibre – ou le déséquilibre – qui s'établit entre nos trois corps (physique, mental et éthérique). Un thème astrologique est ainsi la carte des circulations énergétiques harmoniques ou disharmoniques dont nous sommes journellement le théâtre ; elle permet de voir immédiatement **le type des énergies qui sont véhiculées par les planètes** en présence, et par les aspects que celles-ci forment entre elles. Au moment où l'Occident retrouve le sens de l'énergie et où pullulent les tentatives de mieux l'appréhender pour mieux la maîtriser, il est bon de rappeler que l'astrologie est, depuis des millénaires, le premier outil que l'homme se soit trouvé pour se replacer dans l'univers vibratoire dont il est né et pour tenter d'en percevoir le sens et les possibles illuminations.

A chaque planète correspond ainsi une *énergie précise* et à chaque signe correspond une *identité énergétique* qui trouve ses manifestations dans tous les domaines du vécu ; en particulier lorsque la circulation ne se fait pas et que s'installent les nœuds gordiens qui bloquent l'harmonie, dans le domaine de la santé apparaissent alors divers troubles, voire des maladies. Puisque chaque signe fonctionne sur une énergie précise qu'il utilise toujours d'une manière chronique, les déséquilibres et les troubles qui le guettent peuvent être répertoriés et corrigés. C'est alors la **recherche d'un meilleur équilibre** entre *excès* et *manques* qui rétablit le bon fonctionnement de la circulation énergétique et du bien-être général de l'individu.

2. Les mots clefs de l'énergie Taureau

– **Concentration :** lents à se mettre en route, les Taureaux ne sont pas non plus faciles à stopper. Leur fabuleuse concentration d'énergie induit une maîtrise remarquable de chacune des étapes de ce qui a été entrepris. Une trop forte concentration d'énergies libidineuses peut aussi conduire à la sclérose.

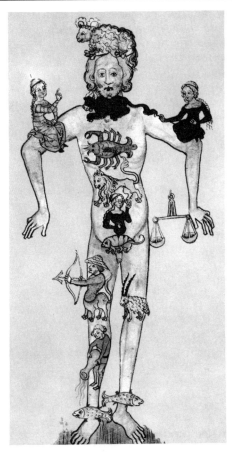

La cosmogénétique de l'homme et les relations entre le zodiaque céleste et le corps humain.

(Manuscrit hébreu, 1181.)

  – **Fécondation :** pour que continue la vie, le Taureau est prêt à tout. Son art de vivre n'a d'égal que son
sens d'en profiter et d'en faire profiter les copains. A
défaut, lorsque la création ne le motive plus, il s'empâte
et s'engourdit.

  – **Progression :** le Taureau est en analogie avec
les rythmes fondamentaux de la vie. Il sait toujours où
il en est dans la progression qu'il a visualisée et orga-
nisée, et nul ne peut le bousculer sans dommages. S'il
a une vue d'ensemble juste et aiguë, sa paresse foncière
lui joue parfois de drôles de tours. Son défaut, sur ce

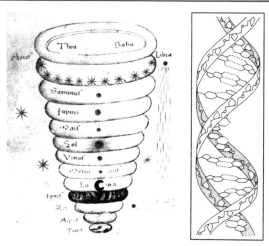

Le schéma de l'ascension mystique, illustrant les énergies
planétaires marquant les paliers de l'évolution de la
conscience (manuscrit d'astrologie du xvᵉ siècle, à gauche),
se retrouve dans la structure aujourd'hui connue de la molé-
cule d'A.D.N. (à droite). Confirmé par la théorie des fractals,
récemment découverte en physique, le lien entre le macro-
cosme et le microcosme est enseigné par la Tradition
depuis des siècles. Par l'existence de ses trois corps, l'homme participe à son origine cosmique.

point, tient dans sa difficulté à répartir équitablement sa dépense d'énergie favorisant de dommageables « caillots » d'énergie, difficiles à évacuer.

3. Les correspondances énergétiques

a) La Tradition indienne

Avec le Scorpion, le Taureau est analogique au **Muladhara chakra,** ou *chakra-racine* de la Tradition indienne.

Ce chakra (1) représente la base de l'énergie vitale, la plus forte concentration des sources vitales et fécondes qu'il faut néanmoins « secouer » pour que l'énergie amorce son cheminement vers les centres énergétiques supérieurs. Dans l'iconographie tantrique, on représente ainsi la kundalini endormie, roulée tel un serpent (2) autour du sexe de Shiva qu'elle possède au fond de sa gorge. Ainsi obstrue-t-elle l'accès conduisant au sommet du crâne, là où l'énergie se libère de son enveloppe terrestre et retourne au cosmos originel. On dirait ici une allégorie de l'axe Taureau-Scorpion, oral-anal, axe d'énergie sexuelle et créatrice pure et principielle.

Lorsqu'on regarde le mandala de *Muladhara,* on voit un triangle la pointe en bas qui symbolise l'Energie primordiale de la *Shakti.* Il représente l'Eternel féminin *(yoni),* source de vie principielle, engendrement de toute manifestation, capacité de créativité et

---

1. *Chakra,* ou centre d'énergie. Le corps humain en comporte sept. Voir, de Lilla Bek : *Vers la lumière. L'éveil de vos centres énergétiques* (Editions Dangles).
2. Energie primordiale incarnée.

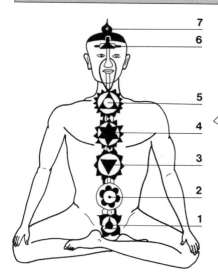

Muladhara chakra,
analogique au Taureau.

7. **SAHARSRARA** (chakra coronal – Porte du Ciel)
Pierre de rééquilibrage : diamant.
6. **AJNA** (chakra frontal – Troisième œil)
Axe LION-VERSEAU.
Pierre de rééquilibrage : jaspe.
5. **VISUDDHA** (chakra laryngé – Gorge)
Axe GÉMEAUX-SAGITTAIRE.
Pierre de rééquilibrage : émeraude.
4. **ANATHA** (chakra cardiaque – Cœur)
Axe BÉLIER-BALANCE.
Pierre de rééquilibrage : rubis.
3. **MANIPURA** (chakra ombilical – Solaire)
Axe VIERGE-POISSONS.
Pierre de rééquilibrage : rubis.
2. **SVADHISTHANA** (chakra sexuel – Sacré)
Axe CANCER-CAPRICORNE.
Pierre de rééquilibrage : topaze.
1. **MULADHARA** (chakra coccygien – Racine)
Axe TAUREAU (kundalini)-SCORPION.
Pierre de rééquilibrage : améthyste.

d'intuition en général. Au centre du triangle se trouve un phallus *(linga)* qui instaure la complémentarité de la puissance d'action de cette énergie primordiale. Ces deux aspects sont présents en chaque individu et doivent être pareillement intégrés et harmonisés.

De *Muladhara* jaillit ainsi l'**Energie absolue,** caractérisée par une union des principes solaire et lunaire qui est à la base de la fondamentale androgynie énergétique de l'être humain. *Muladhara* est ainsi l'**Unité originelle.** La perspective tantrique affirme que le retour à cette unité peut prendre deux voies : la voie *interne* (où le pratiquant établit en lui-même les noces entre féminin et masculin), ou la voie *externe,* dite « voie de la main gauche » (où il réalise cette union dans une relation d'accouplement entre partenaires sexuellement polarisés). Si l'Occident a beaucoup « déliré » sur cette voie de la main gauche, elle est néanmoins à prendre en compte à un niveau de compréhension supérieur, en particulier au vu de l'importance du vécu sexuel dans l'axe Taureau-Scorpion. Il s'agit ici de vivre ces noces fondamentales à un niveau énergétique et initiatique, et **les impératifs d'ascèse, de maîtrise, de privations et de transmutation** (à la fois internes et externes) **deviennent dès lors incontournables.** C'est, au sens indien, un véritable **rituel sacré,** que certaines pratiques occidentales ne sont pas loin d'avoir détourné en orgies…

Ce premier chakra revêt donc une importance primordiale. Partant de lui, l'Energie revient à lui, car *Muladhara* est le lieu d'émergence de la kundalini, la Conscience-Energie universelle. Il possède en lui la puissance pour créer un autre univers par l'union des polarités énergétiques et constitue, en ce sens, le réservoir éternel et inépuisable dans lequel chacun peut puiser toute sa vie durant. Il est analogique à *Malkuth,*

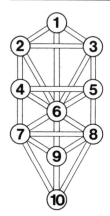

Les Hébreux – comme les Chinois et les Indiens – ont conceptualisé les interrelations énergétiques entre l'homme et le cosmos. Ici, on trouve une mise en correspondance entre l'Arbre des Séphiroth de la tradition juive et les planètes :

1. **Kether,** la Couronne = *Primum Mobile* – Uranus.
2. **Binah,** l'Intelligence = Saturne.
3. **Hochmach,** la Sagesse = Neptune.
4. **Din,** la Justice = Mars.
5. **Hesed,** la Miséricorde = Jupiter.
6. **Tipheret,** la Beauté = le Soleil.
7. **Hod,** la Gloire = Mercure.
8. **Netzah,** la Victoire = Vénus.
9. **Yesod,** le Fondement = la Lune.
10. **Malkuth,** le Royaume = Pluton.

séphirah originelle de la Terre mère et dépôt de la Conscience collective, de la tradition juive (3).

A partir de *Muladhara* comme à partir de *Malkuth* s'établissent toutes les circulations et interrelations énergétiques, avec tous les croisements qui, dans le corps, représentent autant de centres d'éveil. Le principe commun fondamental repose sur la transformation de l'énergie sexuelle au profit de l'éveil de la conscience, sachant que ce qui vient du Tout matériel peut revitaliser et éveiller le Tout éther, et vice versa. Ces échanges, qui circulent là aussi selon la loi du 8, font de l'homme le lieu d'interaction des énergies Terre/Ciel, principe universel repris par l'ensemble

3. Voir, d'Annick de Souzenelle : *Le Symbolisme du corps humain* (Editions Dangles).

des traditions et confirmé par les toutes dernières découvertes scientifiques contemporaines (4).

b) L'énergie colorée : Rouge = volonté, pouvoir

La véritable nature de la volonté échappe à l'entendement humain, car elle est liée à la nature essentielle de l'homme et au but même de son existence. Plus fondamentalement, elle refléterait l'*Intention de Dieu*. Qui, aujourd'hui, peut prétendre être dans le secret du « Tout Energie » ? Sur un plan quotidien, la volonté est la capacité de construire et de structurer, puis de trancher l'étau même de ce que l'on a projeté pour le dépasser. Nous voici au cœur de l'axe Taureau-Scorpion tel que nous l'avons décrit, et auquel il faut aussi rapporter tous les mirages du Pouvoir et de ses diverses manifestations.

Si cette énergie fondatrice est bien dirigée, elle constitue un inestimable trésor de force orienté vers l'accomplissement du Bien. Mal dirigée ou frustrée, elle devient une sclérose dans l'exercice forcené et destructeur du Pouvoir. C'est ainsi que les Taureaux, influencés par les qualités vibratoires du « premier rayon lumineux », doivent quotidiennement veiller à purifier leur phénoménale volonté en essayant d'être « au clair » quant aux sources de leur désir de Pouvoir et aux moyens choisis pour l'exercer.

On se rappellera, à ce propos, qu'un bon nombre de dictateurs prêts à tout pour satisfaire leurs obscurs desseins (5) (Hitler, Mao, Tito, Staline [ascendant Taureau], Catherine II, Catherine de Médicis…) étaient nés sous le signe du Taureau. La forte volonté person-

---

4. Voir, de Michel Bercot : *Le Corps énergétique de l'homme* (Le Rocher).
5. Obscurs parce que ténébreux, mais aussi inconnus des instigateurs eux-mêmes.

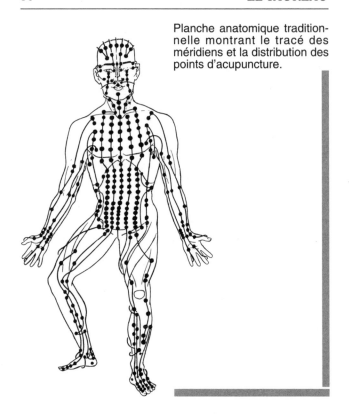

Planche anatomique traditionnelle montrant le tracé des
méridiens et la distribution des
points d'acupuncture.

nelle qui se trouve ici condensée, telle la kundalini
endormie, doit tendre à se transmuter et se transformer
en un canal pour **LA volonté supérieure et spirituelle**
qui sommeille en elle : *la Lumière désintéressée de
l'âme.* On le comprendra facilement en se souvenant
que dans ce rayon, plus que dans tout autre, réside la
notion manichéenne du **Bien** et du **Mal** qui s'y livrent
la plus ancienne et la plus humaine des batailles.

c) Le méridien chinois : Poumons = yin, vert

On ne s'étonnera pas de trouver douze méridiens attribués chacun à un signe dans l'ensemble des douze ouvrages qui constituent la présente étude – qui se veut la plus exhaustive possible – des signes zodiacaux, de leur symbolique et de leurs correspondances énergétiques. On considère d'ordinaire huit trigrammes, représentant huit commandes de fonction. Or il y a douze corps éthériques de méridiens, qui ne peuvent se voir que si on n'occulte pas l'existence de quatre figures à deux traits qui correspondent non pas aux planètes, mais aux **luminaires** que sont le Soleil et la Lune. Les deux traits yin correspondent à la Lune et à la commande de fonction Maître du cœur dans le signe du Cancer. Les deux traits yang correspondent au Soleil et à la commande de fonction Triple réchauffeur dans le Lion. C'est en rétablissant ces deux luminaires que l'on parvient à établir une correspondance logique entre le système des Cinq éléments chinois et le système des six axes de l'astrologie occidentale. C'est Marguerite de Surany qui, grâce à sa connaissance de l'énergétique chinoise, a rétabli cette corrélation (6).

Dans la médecine traditionnelle chinoise, le méridien Poumons « relie l'intérieur avec l'extérieur » ; on le nomme « Ministre des Echanges ». Pour remplir sa fonction, il commande toutes les **voies respiratoires :** larynx, trachée, bronches, poumons. Il est en relation avec la **voix** dont les sons traduisent l'intensité de ses vibrations. Il régit l'**odorat** par lequel les odeurs pénètrent le corps. Les rhinites et les éternuements manifestent sa mauvaise humeur si les vibrations de l'envi-

---

6. Voir, de Marguerite de Surany : *L'Astrologie médicale Orient/ Occident* (Le Rocher, épuisé).

ronnement humain ou spatial ne lui conviennent pas.
Le nez est son ouverture – ou sa fermeture – vers
l'extérieur.

Là encore, on retrouve la fonction de lien entre
Terre et Ciel, analogique au Taureau : en effet, gou-
vernant les voies respiratoires, le méridien Poumons
capte l'énergie astrale, assimile l'énergie de l'air et,
s'en nourrissant, la développe en une énergie vitale
personnelle. Il distille ainsi une des énergies essentielles, ce que nous indiquait déjà sa correspondance
avec le *Mulhadhara chakra* indien. Le méridien Pou-

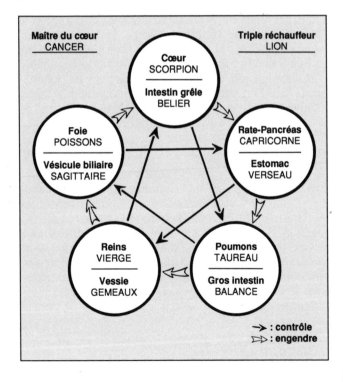

Correspondances énergétiques entre méridiens d'acupuncture chinois et signes astrologiques : saisons, éléments, énergies, organes et viscères, heures de recharge énergétique, couleurs *(cf. dessin ci-contre).*

BÉLIER : méridien *Intestin grêle* – Eté, Feu, chaleur – Langue, cœur, vaisseaux – 13 à 15 heures – Onde rouge.

TAUREAU : méridien *Poumons* – Automne, Métal, sécheresse – Poumons, poils, peau, nez – 3 à 5 heures – Onde vert émeraude.

GÉMEAUX : méridien *Vessie* – Hiver, Eau, froid – Cheveux, oreilles, os, reins – 15 à 17 heures – Onde ocre.

CANCER : méridien *Maître du cœur* – 19 à 21 heures – Onde bleu des mers du Sud.

LION : méridien *Triple réchauffeur* – 21 à 23 heures – Onde or.

VIERGE : méridien *Reins* – Hiver, Eau, froid – Cheveux, oreilles, os, reins – 17 à 19 heures – Onde vert foncé.

BALANCE : méridien *Gros intestin* – Automne, Métal, sécheresse – Poumons, poils, peau, nez – 5 à 7 heures – Onde rose.

SCORPION : méridien *Cœur* – Eté, Feu, chaleur – Langue, cœur, vaisseaux – 11 à 13 heures – Onde rouge grenat.

SAGITTAIRE : méridien *Vésicule biliaire* – Printemps, Bois, vent – Foie, œil, muscles – 23 heures à 1 heure – Onde améthyste.

CAPRICORNE : méridien *Rate-Pancréas* – Fin d'été, Terre, humidité – Bouche, tissu conjonctif, estomac – 9 à 11 heures – Onde noire.

VERSEAU : méridien *Estomac* – Fin d'été, Terre, humidité – Bouche, tissu conjonctif, estomac – 7 à 9 heures – Onde gris irisé.

POISSONS : méridien *Foie* – Printemps, Bois, vent – Foie, œil, muscles – 1 à 3 heures – Onde bleu foncé.

mons est « maître absolu de l'Energie essentielle » :
c'est ici l'énergie de la Terre qui « assimile » celle du
Ciel, ce qui est effectivement à l'origine de toute la
Création (l'énergie essentielle du Ciel circule dans le
méridien Estomac, analogique au signe du Verseau ;
on retrouve donc encore la liaison vitale Taureau-Ver-
seau). Ce méridien se recharge **entre 3 et 5 heures du
matin.** Selon la tradition chinoise, il recueille le *pro* (7),
c'est-à-dire une partie des ondes du corps éthérique.

Le trigramme *khan,* qui représente ce méridien, est
la commande de fonction du corps éthérique ; il signifie « source supérieure de l'Eau circulante ». Cela donne
au méridien Poumons l'attribution de la formation et
de la circulation des liquides organiques ; il excrète
par l'expiration et la sueur, maintenant ainsi l'équilibre du méridien Reins.

Méridien Poumons – **Taureau**   : Yang
                                         : Yin

Le trigramme *khan,* analogique au Taureau.

Les principaux dysfonctionnements qui lui sont
attribués sont :

– Les **refoulements d'énergie,** les rétentions et les
scléroses, car ce méridien accentue la capacité à
« mettre ses ondes en boule » et à se fermer dès que
l'extérieur blesse ou apparaît comme un danger. La
fonction de lien entre intérieur et extérieur ne se fait
alors plus, ou mal. L'équilibre général est soumis à
l'hypersensibilité à l'extérieur, qui a tôt fait de se

---

7. *Pro* signifie « la vie, l'immatériel attaché à la forme ».
Chenn, « l'esprit » est recueilli par le méridien du Cœur, et *roun,*
« l'âme », par celui du Foie.

transformer en émotions ressassées et mélancoliques. Soucis, regrets et chagrins affectifs le perturbent au-delà de toute mesure. Les ondes se tarissent jusqu'à l'essoufflement, l'irritation et la sécheresse – ou l'humidité excessive – des muqueuses.

– L'**obésité** et l'empâtement si le méridien se bloque et ne ventile plus les ondes du méridien Intestins (qui recueille les graisses et les assimile).

– Les **cheveux, poils, phanères** et **peau** liés à la bonne constitution des liquides organiques.

Tous les points du méridien Poumons étant reliés au cerveau, tous les problèmes que son dysfonctionnement provoquent y trouvent une résolution. **L'énergie de la pensée a une grande force ;** on y guérit par dédramatisation et par rationalisation, ce qui nous renvoie encore à la nécessité d'assainir le terrain suraffectif du Taureau. Pour aucun autre signe autant que pour le Taureau (sauf, peut-être, pour le Poissons), on ne peut affirmer plus justement qu'un Taureau malade est un Taureau mal aimé…

d) **L'équilibre par les cristaux** (8)

– *Couleurs associées :* jaune et rose.

– **Saphir :** favoriserait la méditation, le développement spirituel, renforcerait la foi, développerait les perceptions extrasensorielles, chasserait les illusions.

– **Emeraude :** d'après la Tradition, favoriserait la création artistique, développerait le sens de la beauté et de l'harmonie, permettrait le développement de la conscience, attirerait la richesse.

– **Topaze** (pierre solaire) : activerait le rayonnement, la puissance et l'esprit de conviction, soulage-

---

8. Voir, de Barbara Walker : *Cristaux. Mythes et réalités* (Editions Dangles ; épuisé).

rait les maladies dues au froid, faciliterait l'assimilation de la nourriture et la circulation du sang.

   – **Citrine :** favoriserait l'élimination des toxines,
chasserait les peurs et les angoisses, calmerait et apai-
serait ; conseillée en cas de diabète ou de constipation.

   – *Pierre porte-bonheur :* **saphir.**

   – *Pierre rééquilibrante :* **améthyste,** pour aider à
se dégager de la matérialité et des pulsions, pour apai-
ser les excès de la volonté et de la jalousie.

e) Vibrations du signe et prénoms associés

   La vie est vibrations. Elle commence au-delà d'un
seuil vibratoire au-dessous duquel la matière ne peut
s'ordonner correctement en fonction d'une action précise. **Chaque prénom est porteur d'une vibration**
calculable et transposable en couleur (les sons et les
couleurs étant les vibrations les plus rapides de l'univers, donc celles qui nous arrivent et nous traversent
de la manière la plus rapide). Même inconsciemment,
nous y réagissons affectivement. Nous dirons donc
que chaque prénom porte avec lui un message vibratoire qui nous le fait *percevoir au niveau affectif,* sans
que notre intellect n'y puisse rien, ce qui explique que
certains prénoms nous soient si chers et d'autres si
immédiatement déplaisants.

   Aimer le prénom de l'être chéri revient donc à
aimer l'effet transmis par la vibration émise et, à
l'inverse, pourrions-nous vraiment aimer une personne
dont nous n'apprécions pas le prénom ? Cela explique
aussi les inclinaisons que nous ressentons pour certains prénoms voulus pour nos enfants, ou choisis
pour nous-mêmes lorsque nous nous sentons « *mal
nommés* » à la naissance (9).

---

   9. Voir, de Pierre Le Rouzic : *Un prénom pour la vie* (Albin
Michel).

Les prénoms véhiculent donc, avec eux, toute une série de qualités et de caractéristiques que l'astrologie a, par ailleurs, rangées en signes. D'après leur vitesse vibratoire et la couleur de leur vibration, voici les **prénoms qui véhiculent les caractéristiques du signe du Taureau,** avec leurs effets sur nos trois plans d'existence : corps, âme et esprit.

⟪◉⟫

✧ **Prénoms émettant 104 000 vibrations/seconde :**
Geneviève, Alida, Diane, Esther, Hildegarde, Inès, Michèle, Nicole, Nicoletta, Olga, Sheila…
Couleur : rouge.
Type d'énergie produite : *corps :* colère ; *âme :* passion ; *esprit :* domination.

✧ **Prénoms émettant 76 000 vibrations/seconde :**
Raymond, Adrien, Habib, Hubert, Loïc, Oswald, Ramon, Ramuntcho, Renaud, Thierry…
Couleur : bleu.
Type d'énergie produite : *corps :* vitalité ; *âme :* amour pur ; *esprit :* spiritualité.

✧ **Prénoms émettant 100 000 vibrations/seconde :**
Vincent, Diego, Faust, Jack, Jacky, Jérémy, Nello, Rainier, Ralph, Romain, Simon, Walter, William, Willy…
Couleur : rouge.
Type d'énergie produite : *corps :* sentiments ; *âme :* amour passion ; *esprit :* séduction.

✧ **Prénoms émettant 102 000 vibrations/seconde :**
Yves, Emmanuel, Isaïe, Patrick, Patrice, Roméo, Yvain, Yvan, Yvon…
Couleur : orange (50 % rouge + 50 % jaune).
Type d'énergie produite : *corps :* sentiments ; *âme :* amour passion ; *esprit :* séduction.

f) La glande miroir : la thyroïde

Les signes du Taureau et du Scorpion gouvernent
la glande thyroïde et les parathyroïdes (plus commu-
nément appelées amygdales). Dans une lecture clas-
sique de cette glande, on remarquera son importance
dans la sensibilité de l'individu à l'**iode** et sa **capacité
d'assimilation de l'oxygène.** On y lira son effet sur
l'état psychique et nerveux, et sur la régularité de sa
température. L'instabilité endocrinienne produit, par
contre, toutes sortes de dérèglements fonctionnels tant
sur le plan du **système pondéral** que sur celui de
l'**équilibre génito-hormonal.**

Le rôle majeur joué par la thyroïde dans la transformation de l'oxygène (et dans le rôle que joue celui-
ci dans le changement de rythme de vie de l'ensemble
de l'organisme, en accélération ou en ralentissement)
a d'abord été testé sur le développement du têtard en
grenouille. Sans thyroïde, il est clair que cette transmutation d'un animal respirant exclusivement en milieu
liquide en un animal à respiration aérienne ne se ferait
pas. Evidemment, l'analogie avec le fœtus humain est
claire, le rôle des hormones thyroïdiennes étant au
centre de ce passage eau/air, mais aussi, par consé-
quent, intimement associé à la **métamorphose organique globale,** au changement d'un niveau d'organisation cellulaire à un autre (10).

Chez l'homme, la thyroïde est un organe en forme
de bouclier situé dans le cou, au niveau du larynx.
Selon certains scientifiques, la thyroïde est une
ancienne glande sexuelle, probablement associée aux
canaux des organes sexuels, ou gonades (Cancer).

10. Voir, du docteur Oslow H. Wilson : *Les Glandes, miroir
du Moi* (Editions Rosicruciennes).

Bien que chez les grands mammifères il n'y ait pas de relation physique entre les gonades et la thyroïde, on sait maintenant qu'il existe une multitude d'importantes associations physiologiques. Ainsi la fonction thyroïdienne est-elle nécessaire au **développement des mécanismes reproducteurs** chez les humains et autres mammifères. En l'absence de thyroïde, l'enfant (comme le têtard) n'atteindrait jamais l'âge adulte.

Bien entendu, ces changements physiologiques primordiaux ne vont pas sans changements intérieurs d'égale importance. La thyroïde est alors aussi l'organe du **développement de la maturité mentale** ainsi que du développement des **capacités psychiques.** Elle est le premier et le principal **outil d'Eveil,** dans tous les sens du terme. La vivacité d'esprit et son maintien, mais aussi le degré de conscience et de juste auto-perception de son identité en découlent directement.

En négatif, on dira que le crétinisme, la lourdeur d'esprit ou le fait de « nombriliser » en tournant autour de soi et du monde connu, y sont tout aussi directement rattachés...

La thyroïde paraît essentielle dans la **formation de la mémoire** et des capacités de **complexification de la pensée,** car elle assure une fonction de « filtre » entre le passé et le présent. Les impressions intérieures, la manière juste ou totalement outrée d'**interpréter les événements extérieurs** et de les transformer en vécu intérieur, y sont aussi associées. Elle influence le rythme auquel s'enregistrent ces sources extérieures dans la conscience objective, mais aussi celui auquel nous attribuons un sens aux expériences présentes par rapport à celles du passé. A tous les niveaux, la thyroïde est **notre principal outil de transfiguration.**

Les parathyroïdes accentuent encore ce rôle de transformateur, principalement sur le plan de l'énergie. A cet égard, elles contribuent à la **quantité de calcium et de phosphore dans les os,** car l'hormone parathyroïdienne (H.P.T.), provoquant la déminéralisation des os, augmente d'autant le taux de calcium dans le sang. Les parathyroïdes ont un rôle absolu dans la fixation de calcium dans le corps ainsi que dans les degrés d'excitabilité de l'être humain, car leur absence rend le système nerveux considérablement **hyperexcitable.** Nervosité, instabilité, dépressivité, sensation de peurs, d'angoisses et de persécution y sont fortement liés. De plus, les parathyroïdes, exerçant une fonction régulatrice de la thyroïde, ont une **mission de filtre et de protection organique** tout à fait primordiale. C'est pourquoi toutes les surcharges viennent d'abord gonfler les amygdales et provoquer des angines ou toutes autres formes d'autorégulation de l'organisme.

L'ablation des amygdales est, pour toutes ces raisons, un acte très grave, surtout si elle intervient avant la puberté, car elles sont essentielles à toutes les transformations et régulations des changements de l'enfance et du processus de transformation général, physiologique comme psychique. Aujourd'hui, la médecine rationaliste ayant – un tout petit peu – fini par comprendre ce rôle essentiel des amygdales (alors qu'on disait facilement, il y a encore quinze ans, qu'elles ne « servaient à rien », comme si la machine humaine était le produit d'un non-sens…), cet acte péremptoire est beaucoup moins pratiqué, les parents étant beaucoup mieux informés. Néanmoins, combien de générations d'enfants ont ainsi subi les conséquences des certitudes d'une médecine mécaniste et finalement peu consciente ? Sans parathyroïdes, les sécrétions

L'homme zodiacal ou les correspondances entre les organes de l'homme – créature la plus parfaite du cosmos – et les planètes (extrait des *Très Riches Heures du duc de Berry*, enluminure du XVe siècle, Bibliothèque nationale, Paris).

demeurent mais vont se déverser directement dans le corps avec des conséquences beaucoup plus graves à long terme que celles des angines, sans compter que celles-ci sont toujours le signe naturel d'une surcharge en aliments acides contre lesquels l'organisme réagit et qu'il cherche à expurger… Dès lors, avoir de grosses amygdales est une chance d'équilibre pour le corps… et non plus une tare à « réparer au scalpel » !

De plus, l'ablation des amygdales provoque un immédiat décuplement de la sensation de faim liée à la dérégulation du taux de calcium. Cela peut avoir pour conséquence une totale reprogrammation pondérale qui peut chambouler l'équilibre physiologique et hormonal global… On retiendra donc l'importance de ce système thyroïdien et son rôle dans le processus de transformation de la vie.

Mais, sur un plan plus mystique, qu'en retiendrons-nous ?

Vu dans une dimension plus cosmique, le dysfonctionnement de la glande thyroïde renvoie à une **inflation incorrecte du Moi,** issue d'une mauvaise assimilation des émotions primitives de l'enfance ayant produit la **négativation de l'image personnelle,** celle-ci se traduisant par une hypersensibilité et une attitude autoprotectrice de repli ou de rejet. C'est le lieu de **tout ce qu'on n'a pas pu exprimer** (ou que l'on nous a interdit d'exprimer), celui où va clairement se manifester l'insatisfaction de soi provoquée par un **trop fort décalage entre ce qu'on est devenu et ce que l'on voulait devenir.** La question « d'être ou ne pas être », de pouvoir exister pleinement ou de mourir à soi, se pose donc clairement. Les souvenirs douloureux, les rancunes, les hallucinations, les ressentiments négatifs, le refus de grandir et de transmuer peuvent ici avoir des conséquences graves à des niveaux plus ou moins importants. Rééquilibrer le système thyroïdien renvoie alors à un réajustement entre le Moi spirituel et le Moi physique par un **rééquili-brage entre le passé et le présent,** par un travail de lâcher prise des vieilles émotions encombrantes, sinon mortifères. La tradition mystique indique clairement que la guérison passe ici par le fait d'**accéder à la Conscience universelle** et de se repositionner par rapport à celle-ci en abandonnant les patterns ancestraux toujours limitatifs.

Les êtres très « concernés » par le système thyroïdien sont certainement ceux qui perçoivent le plus clairement cette nécessité que tout, dans leur corps et dans leur vie, indique. C'est là l'Etincelle déposée dans l'axe Taureau-Scorpion ; tout l'enjeu, pour les natifs, consiste à la faire émerger en pleine lumière.

4. Conséquences symptomatologiques

Grâce à ce qui précède, on comprend mieux qu'il faille se méfier de la soi-disant « bonne santé » du Taureau. Il a beau être solide, sa résistance n'en est pas moins celle des blocs de béton : elle tient jusqu'au moment où, sous les assauts répétés d'une trop forte perméabilité affective et émotive (d'autant plus laminante qu'elle exerce son érosion en sourdine et de façon souterraine), elle se casse d'un coup, en mille miettes irrécupérables. Les gens « entiers » sont ainsi faits qu'ils passent sans prévenir du tout au rien.

Son avantage, en revanche, réside dans sa façon « saine » d'aborder le sujet. **Le Taureau fait confiance à son corps,** sans angoisse ni fantasmagorie excessives. Il suit son rythme personnel sans se bousculer et se base plus sur ce qu'il sent que sur ce que lui dit son médecin. Les Taureaux détestent traditionnellement les médicaments et les artifices, préférant être malades un bon coup – car la maladie est aussi un symptôme de vitalité.

Leur philosophie générale est de dire : « *Je suis malade parce que c'est naturel de l'être de temps en temps.* » Finalement, ils sont leur propre infirmière et se fient aux vertus du sommeil, à l'alimentation adaptée et aux « remèdes de bonne femme » jusqu'à ce qu'ils sentent renaître leurs forces. Bougons et têtus lorsqu'ils sont « patraques », ils envoient balader tous ceux qui prétendent savoir mieux qu'eux-mêmes comment ils fonctionnent et ce dont ils ont besoin. L'avantage est qu'ils ne bousculent pas arbitrairement leur métabolisme, mais l'inconvénient est qu'ils attendent souvent trop longtemps avant de consulter.

A force de dire : « *Ça va passer* », ils atteignent parfois leurs limites. Enfin, la seule chose « grave » qui puisse leur arriver serait de perdre définitivement le sommeil (ils ont besoin de dormir beaucoup) et l'appétit terrestre (alimentaire et sexuel), car ils se savent alors « atteints en profondeur »…

a) Points faibles du Taureau

– **Système oto-rhino pharyngé :** cela renvoie à son instabilité nerveuse et affective, et induit des conséquences immédiates sur sa traditionnelle fragilité pulmonaire. Mais les problèmes respiratoires (pulmonaires en particulier) renvoient directement sur l'émotion que le signe ne sait pas toujours gérer. A force de surdimensionner l'affectif, le Taureau devient, sur ce point, l'un des signes les plus fragiles. Rhinopharyngites, sinusites, pneumonies, pleurésies, asthme… finissent ainsi par user le système immunitaire par la fréquence de leurs accès et par l'indiscipline notoire des natifs qui veulent minimiser le message. Considérer aussi toutes les inflammations buccales et gingivales, ainsi que l'appareil de phonation : larynx, cordes vocales. Il n'est pas rare que le Taureau souffre d'enrouements, d'extinctions de voix et de trachéite.

– **Problèmes de peau :** la peau, qui représente un terrain idéal pour l'expression à la fois de l'hyper-sensibilité affective et de la tension nerveuse chronique, pose toujours des problèmes graisseux, gratte, gonfle, pique, blanchit en hiver pour rougir en été et n'a plus aucune souplesse. De plus, les Taureaux présentent un terrain très nettement allergique ainsi qu'un terrain idéal pour l'acné, même au-delà de l'adolescence.

– **Système endocrinien** en général, surtout chez les femmes dont l'équilibre hormonal est à surveiller.

– **Problèmes gastro-entérologiques :** les fragilités gastriques sont typiques du Taureau et des personnes marquées par la Lune en général. L'impact psychologique et les « maux à la mère » y sont très directement lisibles. On ne répétera jamais assez le rôle compensatoire et ambigu de l'alimentation dans la vie taurienne, surtout sa prédilection pour les laitages et le sucre. Désordres qui, ajoutés à la **lenteur digestive générale,** peuvent entraîner des **variations de poids incessantes,** de l'obésité chronique ou de la maigreur incurable, trop de cholestérol, du diabète, des gastrites, de l'aérophagie, de la spasmophilie, de la constipation, des colites et dériver, au pire, en problèmes hépatiques.

– **Fragilité nerveuse :** elle est la cause directe ou indirecte de bien des problèmes tauriens, car elle favorise la tension nerveuse permanente et se manifeste par des zones de blocages multiples dans le corps. Anxiété, dépressivité latente ou caractère maniaco-dépressif affirmé, complexes d'identité divers, émotivité excessive avec angoisses, peurs, phobies suivies de moments d'euphorie inattendus.

– **Système immunitaire :** rien n'attaque autant le système immunitaire dans son ensemble que les émotions mal digérées et l'état de fragilité nerveuse et mentale. Les Taureaux peuvent se transformer alors en « éponges à microbes » avec toute une série de maladies inflammatoires et des déficiences immunitaires plus ou moins aggravées.

A cela s'ajoutent les fragilités du signe jumeau, le Scorpion, qui vient accentuer la fragilité du système oto-rhino pharyngé, celle du système immunitaire ainsi que le système génital (ovaires, testicules, prostate, utérus).

✺

On n'oubliera pas de distinguer le Taureau **en excès d'énergie** qui porte toutes les caractéristiques du signe en excès et souffre, en conséquence, d'une tendance au stockage d'énergie, à l'encrassement et à l'usure progressive de son métabolisme, ainsi que le Taureau **en insuffisance d'énergie** qui correspond « par défaut » à toutes les caractéristiques du signe et accuse l'épuisement, l'hypersensibilité de terrain, donc une capacité d'autodéfense organique appauvrie.

Enfin, il faut se souvenir que l'on passe de phases d'excès en phases d'insuffisance, ce que seul un thème astral complet peut permettre de définir avec justesse.

b) Conseils pour un meilleur équilibre

Le mot clé de la santé du Taureau est : **éliminer.** On recommandera toujours de boire beaucoup, de préférence des tisanes diurétiques, et surtout de se « stimuler » pour faire circuler les énergies que les natifs ont tendance à stocker par peur de manque affectif. Les fixations émotives représentent la source de la quasi-totalité des maux qui attaque le Taureau et provoque la plupart de ses dysfonctionnements. Les activités rééquilibrantes en contact avec la nature, ou à dominante artistique (surtout la danse et le chant) lui sont prédestinées, ainsi que les massages ayurvédiques ou les drainages lymphatiques, le hammam et les séances – bonnes pour le physique et le moral – chez l'esthéticienne. Les activités manuelles (poterie, tapisserie, sculpture, modelage…) le ressourcent et le recentrent avantageusement.

N. B. : nous ne pouvons donner, ici, que des conseils généraux, difficiles à individualiser avec plus de précision tant que l'on s'en tient au seul signe solaire. Seule une consultation astrologique globale, **tenant compte du thème complet,** peut apporter plus de précision sur les dynamiques de fonctionnement particulières, sur les circulations énergétiques – équilibrées ou perturbées – de chacun.

D'autre part, un traitement personnalisé requiert la compétence et la prescription d'un médecin – généraliste, spécialiste ou pratiquant les médecines douces – qui tienne compte d'une juste combinaison de la médecine allopathique, des médecines alternatives et des thérapies énergétiques. L'astrologie représente un outil complémentaire d'étude de terrain, *pour confirmer ou infirmer un diagnostic,* mais elle ne peut en aucun cas se substituer au thérapeute compétent. En ce sens, nous vous laissons bien entendu le libre choix de votre médecin qui, seul, pourra vous orienter vers des traitements et des soins adaptés.

Amas des Pléiades. Amas d'étoiles dans la constellation du Taureau, très brillantes et repérables à l'œil nu. Cet amas est apparu il y a environ 60 millions d'années.

(© R.O.A. / photo Ciel et Espace, Paris.)

V

Amours et amitiés

1. L'importance des relations humaines

On l'aura compris à travers ce qui précède : les relations humaines constituent la plaque tournante des natifs du Taureau, dont le bien-être et l'équilibre général sont entièrement soumis à la dose d'amour qu'ils reçoivent de la part de leur entourage. Le Taureau est, en ce sens, un signe qui connaît bien l'**équilibre entre donner et recevoir,** et il ne lésine pas sur la qualité et l'intensité de ce qu'il donne afin de s'assurer d'un retour analogue.

Sincérité et **authenticité** sont les mamelles des relations humaines sous le mode Taureau. Ils se donnent difficilement et avec méfiance mais, une fois engagés – comme dans tous les domaines de leur vie – ils ne se désengagent plus et demeurent de très fiables partenaires (amoureux ou amicaux). Leur peine, en cas de rupture, est alors à la mesure de leur engagement, c'est-à-dire gigantesque et pratiquement incurable. Se sentir trahis et mal aimés les poursuit toute leur vie, et il est recommandé de *faire attention à la façon dont on les approche puis dont on les quitte,* pour ne pas blesser ces tendres « cœurs d'artichaut » cachés sous une épaisse carapace de réalisme et de timidité foncière.

L'**association** – et le désir de s'unir dans tous les aspects de son existence – avec ses amis ou ses relations amoureuses, est aussi dans le caractère du signe qui voudrait vivre, travailler, manger, dormir, aimer, voyager... bref tout faire à l'intérieur du cercle rassurant et constructif de ses élus de cœur. En effet, les joies du cœur vont, chez lui, de pair avec les joies de la stabilité et de la réalisation financière et matérielle, et les natifs pensent souvent qu'il suffit d'aimer très fort pour que les affaires marchent bien et que les fruits soient partagés pour le bonheur de ceux qui vous aiment et que l'on aime. Cela a un côté prosaïque et simpliste, mais fonctionne ainsi dans la vie d'un Taureau, animal finalement bien simple et qui veut **s'en référer à la voie du cœur** plutôt qu'aux dissociations intellectuelles.

Le contraire est aussi vrai, à savoir que si les sentiments changent, le Taureau peut devenir impitoyable et refuser tout lien matériel qui lui paraît alors faux et déplacé. De partageur et secourable, il devient avare, égoïste et même pinailleur, faisant et refaisant les comptes jusqu'au moindre détail, histoire de bien rappeler à l'autre tout ce qu'il lui doit, sur tous les plans et dans tous les sens du terme. Voilà que se révèle alors un des aspects les plus pénibles du signe dans sa gestion pathologique de la matérialité, qui le fait passer d'un extrême à l'autre.

Déçu dans ses engagements affectifs, amicaux ou amoureux, le Taureau concentre tout sur la matérialité et « compense » (panse) ses blessures en amplifiant l'aspect concret des choses. « *Rends-moi ce que tu me dois* » signifie « *Rends-moi mon cœur... Redonne-moi ma liberté et ma tranquillité* » ; s'engageant toujours *pour toujours,* le Taureau sait qu'il n'a pas les moyens – émotifs – de la rupture et de la perte de l'autre. Il

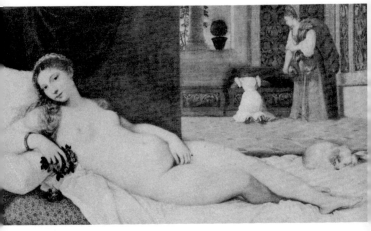

Vénus, symbole éternel de la beauté en toutes choses...
(Peinture du Titien, xvie siècle ; Galerie des Offices, Florence.)

fera tout – et n'importe quoi – pour ne pas en arriver
là mais, si c'est le cas, il le vit comme un vol, comme
une dépossession si terrible qu'il n'en perçoit pas la
possible guérison autrement qu'en tentant de récupé-
rer ses biens, de se retrouver intact comme il l'était
avant d'aimer... Il lui faut bien du temps pour comprendre qu'on ne peut être que gagnant d'avoir vécu
ce que l'on a vécu avec quelqu'un – même momenta-
nément – et accepter de lâcher prise pour aller plus
loin.

Là encore, les hommes du signe vivent souvent la
situation de manière plus douloureuse et se révèlent
plus bougons que les natives qui trouvent dans le
dépit, la colère – voire le rejet outré – un exutoire à la
perte qui a le mérite d'être assez efficace, même s'il se
révèle souvent momentané. L'attachement sexuel

allant de pair avec les attachements amoureux – pour les hommes comme pour les femmes du signe – **les ruptures sont difficiles à vivre,** y compris dans ce domaine dans lequel le Taureau considère toujours ses amours comme une propriété personnelle.

Il est alors important, pour les natifs, de pouvoir compter sur leurs relations et de se référer au guide ci-après pour évaluer les possibilités d'entente.

2. Les relations avec les autres signes

Taureau/Bélier

Le rapport peut être très complémentaire, nourri par les idées audacieuses du Bélier, concrétisé par la stabilité et le sens de la réalisation du Taureau, cela à condition d'avoir des projets communs, une action à mener à terme. Le Taureau est parfois offusqué par la rapidité du Bélier qui semble s'engager impulsive-ment puis traiter l'affectivité avec plus de désinvolture que cela ne convient au Taureau. Ils ne sont ainsi pas toujours sur la même longueur d'onde : le Bélier trouve le Taureau trop possessif et, de son côté, celui-ci repro-che facilement au Bélier de n'être pas très sérieux et de ne pas mener ses promesses à bien.

Mais, lorsque la passion les tient ou qu'ils se trou-vent une belle action commune à concrétiser, les choses se passent dans l'harmonie et leur permettent de mieux se rencontrer sans transformer leurs diffé-rences d'énergie et de rythme en handicap. Le pire serait que le Bélier en fasse trop, bouscule le calme du Taureau et s'impose à lui, chose inadmissible entre toutes pour ce dernier qui refuse fondamentalement d'être « houspillé ».

Taureau/Taureau

Le bon sens est chez eux. Ils aiment leur maison, leurs enfants, leur famille, leur terre, leur banquier, leurs copains… et rêvent surtout de réunir tout cela autour d'un bon petit plat qui permette à tout le monde de jouir du meilleur de l'existence terrestre. Et le meilleur, pour eux, c'est encore l'art, la beauté et les soirées passées dans leur lit, le pire étant leur goût commun pour la répétitivité et la sécurité excessive, jusqu'à en faire un couple qui « ronronne ».

Si c'est une amitié, elle est très constructive : entre hommes, ils s'épauleront dans les domaines matériels, construiront ensemble en se racontant des histoires grivoises lorsque leurs cœurs seront touchés. Si ce sont des femmes, elles partageront leur sensualité et leur tendresse, et constitueront un « couple » repérable à distance pour sa joliesse, son originalité et ses engagements artistiques. S'il s'agit d'un couple, on peut parier qu'ils sont du genre « bons câlins » et que les choses concrètes se passent bien. La femme reproche constamment à l'homme de l'ennuyer et d'être lourd ; lui pense la même chose mais ne le dit pas ; il peut bouder longtemps…

Taureau/Gémeaux

Si le Gémeaux met toute sa tête dans cette relation, le Taureau y met allégrement tout son cœur et son corps, et s'en prend ainsi facilement « plein la figure » ! Ils n'ont pas du tout la même vision du monde et ne partagent pas les mêmes préoccupations. Ainsi, s'ils travaillent ensemble – ce qui est encore ce qui peut leur arriver de mieux – le Taureau peindra le mur tandis que le Gémeaux fignolera les plinthes : pas la même perspective !

Ils se respectent d'ailleurs d'autant plus qu'ils sont différents et leur amitié est vraie et utile à chacun. Mais le dialogue devient difficile en amour et, plus encore qu'en amour, sur le plan sensuel... Ce Taureau est décidément trop possessif pour le Gémeaux qui semble, lui, trop peu sincère et indigne de confiance. Les accusations réciproques sont graves et, si les apparences peuvent être sauvées, le malentendu constitue toujours le fond véritable de la relation.

Taureau/Cancer

Pas mieux pour les joies familiales, le partage des cœurs avec enfants, gâteaux, mamours et tendresse à longueur de temps. Nous sommes en plein suraffectif exacerbé et revendiqué. Ils se comprennent du bout des cils, se sentent du bout du cœur, se complètent merveilleusement et pourraient rester dans leur univers clos toute leur vie durant. Le problème apparaît alors, car l'asphyxie pourrait bien être au rendez-vous.

A force de compter l'un sur l'autre pour colmater leurs vides affectifs et se prémunir contre toute frustration, ils ne bougent pas assez, et cela autant dans une relation amicale que strictement amoureuse. C'est le Taureau qui s'ennuie le premier et qui organise, plus ou moins adroitement, des issues de sortie, de secours... surtout si c'est une femme. Sinon, s'il est Cancer, le rapport risque un peu d'être celui de la mère toute-puissante avec son fils admiratif... Pour le reste, la relation reste très favorable sur le plan créatif et imaginatif.

Taureau/Lion

L'enjeu est de trouver lequel des deux va se soumettre à l'autre, étant donné que les forces respectives des signes sont telles qu'elles ne peuvent naturellement que s'entrechoquer, produisant des tremblements vibratoires impressionnants, surtout pour l'entourage peu enclin à vivre dans de telles exubérances. Eux se portent plutôt bien dans ces survoltages et, s'ils ne s'appuient pas l'un sur l'autre pour croître mutuellement, ils se dissolvent réciproquement à force de ne pas vouloir céder.

Le Taureau n'est jamais impressionné par l'éclat superficiel que le Lion veut se donner. Le Lion veut bien être remis en question à condition que le Taureau se laisse aussi marcher sur les pieds... Bref, au bout du compte ils ont un côté « beau couple » qui impressionne la galerie. Sinon, il vaut mieux qu'ils travaillent ensemble et que l'homme soit Lion. La sensualité, en tout cas, est avec eux. Sur le plan amical, cela donne une relation des plus authentiques et des plus amicales qui soit.

Taureau/Vierge

J'ai des confrères qui pensent que c'est la meilleure relation qui soit... Diantre ! Mais de quelle relation s'agit-il ? Pas exactement sensuelle, puisque les retenues de la Vierge désespèrent le pauvre Taureau. Pas vraiment amoureuse puisque la Vierge veut freiner les passions qui enflamment cet épicurien. Mais certainement besogneuse et productive, enrichissante surtout en monnaie sonnante et trébuchante.

A s'organiser un univers « au carré », réglé et parfaitement organisé, ils ne courent aucun risque effectif, sauf celui de s'ennuyer, de manquer d'air et de se critiquer à longueur de temps sans résoudre leurs dissensions. En fait, les aspirations affectives se croisent, à moins que le Taureau ne soit l'homme et qu'il « dégèle » un peu la Vierge. Le contraire est nettement plus difficile, car les tauriennes exigeantes ont tôt fait d'envoyer balader les timidités irrésolues d'un monsieur trop soucieux de s'autopréserver. Il leur reste une devise : les bons comptes font les bons amis…

Taureau/Balance

Bien sûr, ils sont gourmands mais, malheureusement, pas de la même chose. Ils se comprennent admirablement lorsqu'il s'agit d'art, de création artistique ou littéraire, de spectacles de danse et de soirées organisées pour réunir des amis. Mais les mondanités sont bien plus du ressort de la Balance qui vit au rythme des exigences sociales, tandis que le Taureau vit au rythme de son cœur et presque trop exclusivement sur lui. Ils goûtent l'harmonie et la quiétude, la gentillesse et la grâce… oui, mais encore ? Cela ne constitue finalement pas une vie…

Le Taureau déteste le côté enrubanné de la Balance qui trouve le Taureau rustre, grossier et peu « montrable ». Et puis, le Taureau ne sait pas hésiter : s'il décide de faire quelque chose, il le fait à fond et la Balance en est toute retournée. Ça va mieux si la femme est Taureau, car elle sera mise en valeur par l'homme Balance et rarement remise en question. Sinon, ils s'aiment bien et forment de bons partenaires professionnels. Mais, sur le fond, entre les tristesses de la Balance et les exagérations du Taureau, pas de place pour un vrai dialogue des cœurs ni des âmes.

Taureau/Scorpion

Excessifs, sexuels… excessivement sexuels surtout s'ils ne couchent pas ensemble ! Leur univers intime est tapissé de vapeurs libidinales et ils ne se le cachent pas, sauf s'ils ont une manière radicalement opposée de vivre la chose. Le Taureau est plutôt sain et ne voit « aucun mal là-dedans », tandis que le Scorpion est toujours aux prises avec une forme de culpabilité et de jeu entre son désir et ses refus.

Leur relation est très complémentaire et constructive jusqu'au moment où ils s'y mettent à deux pour tout casser. Le Scorpion s'amuse sans cesse à faire craquer le Taureau, puis se prend ainsi à son propre piège. Le Taureau voudrait assagir et rassurer le Scorpion, mais il le secoue de temps en temps. Ils se permettent tout ensemble, car ils se connaissent comme s'ils étaient faits l'un pour l'autre. Le mieux est qu'ils finissent par se brancher sur leur âme : spiritualisés, ils deviennent admirables et peuvent cheminer vers des horizons merveilleusement dégagés et inaccessibles à autrui.

Taureau/Sagittaire

Autour d'une table et d'un bon vin, la vie est parfaite. Ils visent des pavillons lointains, mais le Taureau y va plus lentement que le Sagittaire, et le tout se solde souvent par une discussion irréalisée. Ce qui les rapproche, c'est le monde matériel, l'univers financier et concret dans lequel ils peuvent joindre leurs atouts et progresser sans problème. Ils sont d'imparables partenaires, redoutables en affaires et efficaces s'il en est. Et puis, leurs sens les portent et les rapprochent.

Mais le Sagittaire vibre à la liberté et en profite pour saisir toutes les échappées qui se présentent, surtout si c'est une femme et que l'homme du Taureau se montre trop possessif. Il y a plus de chances pour que Mme Taureau accepte de faire partie des bagages de M. Sagittaire, encore faut-il qu'il n'aille pas trop vite ! Le miracle se réalise s'ils parviennent à joindre leurs aspirations spirituelles et religieuses mais, pour cela, il faut du temps qui, seul, peut calmer leurs chairs et élever un peu les désirs tauriens. Leur atout principal est dans la parenté, car ils sont sans doute les meilleurs éducateurs du zodiaque.

Taureau/Capricorne

S'ils écoutent leur logique, leur raison et leur vision concrète du monde, ils se reçoivent 5 sur 5. Ensemble, ils peuvent surtout construire et parier sur la durée. Ces deux bêtes de travail ont vraiment tous les atouts pour réaliser et se réaliser dans leurs démarches communes. En cela, ils sont de fiables partenaires et se respectent en adultes sages. Le plan sensuel est aussi leur meilleur atout, même s'ils n'en font pas étalage : le Taureau joue vraiment un rôle de révélateur sur le Capricorne qu'il est l'un des seuls à pouvoir rassurer en l'autorisant à exprimer ses envies et en l'encourageant à les vivre dans le plaisir et la quiétude. Le Capricorne en est tout « liquéfié » et cela lui ouvre les horizons du cœur et du corps, en plus de ceux de la conscience et de l'ascétisme.

Le plan sentimental reste cependant plus difficile, car le Taureau se sent toujours frustré et « réfrigéré », rappelé à l'ordre et interdit dans l'expression nécessaire de ses sentiments, surtout si la femme est Taureau. Ils doivent parier sur le long terme car, vivant leur union à un âge plus mûr, ils se comprennent mieux et s'acceptent enfin. Entiers et sincères, ils se retrouvent souvent pour s'apercevoir qu'ils s'aimaient en profondeur…

Taureau/Verseau

Au départ, on pourrait penser à un dialogue de sourds et, pourtant, ils ont absolument tout à s'apporter mutuellement. Personne, comme le Verseau, ne peut dégager le Taureau de la gangue qui l'étouffe et le réduit. Personne, autant que le Taureau, ne peut apporter l'art et la sensualité qui manquent cruellement au rationalisme du Verseau. Leur rapport est constructif à condition qu'ils s'acceptent, car le Verseau veut absolument faire voir au Taureau que la réalité peut être revue et corrigée, et le Taureau veut absolument faire comprendre au Verseau que le quotidien a du bon et que l'on peut s'y appuyer.

Le Verseau, qui sublime sa sensualité, n'en finit pas de frustrer le pauvre Taureau qui y perd son latin. Ce sont leurs incompatibilités qui, finalement, les rapprochent : ils sont vraiment les meilleurs amis du monde sans même savoir pourquoi. S'ils veulent bien se l'avouer, ils s'aperçoivent vite qu'ils ne peuvent se passer l'un de l'autre car, tous deux, ils fondent un monde cohérent et complet.

Taureau/Poissons

Ils savent incontestablement qu'ils sont faits l'un pour l'autre. Ils sentent qu'ils partagent le même univers intérieur, que tout marche au feeling et aux émotions les plus subtiles. Mais ils éprouvent toujours un mal fou à se le dire ! Tout passe tellement mieux par les doigts, les yeux, les pores, l'âme… l'âme surtout, cette âme à laquelle on accorde de gros câlins. Voilà, nous y sommes : c'est Vénus sortant des eaux, la cosmogonie et la structuration du monde. Le lien qui les unit est mystérieux et archaïque ; il appartient à l'aube de l'humanité. Les racines sont psychiques et ésotériques ; elles se manifestent sensuellement, affectivement, amicalement sous des couleurs délibérément mystiques. Leur liaison s'en réfère d'ailleurs bien au cosmique et prend sa source dans les vibrations les plus élémentaires.

Dans la réalité terrestre, le Taureau empêche le Poissons de se noyer, et le Poissons empêche le Taureau de s'enfoncer dans la matière. La musique, la danse, la peinture, les créations artistiques en général et les joliesses relationnelles en particulier – avec, de temps en temps, les affres de la passion aux relents un rien sadomasochistes – voilà leur univers. Ils peuvent être de très grands amis s'ils sont du même sexe, et entre eux circulent des choses magiques, gémellaires. S'ils sont de sexe opposé, la relation est certainement amoureuse et sensuelle – ou ne tardera pas à le devenir – car ils demandent toujours à leur corps de parler au nom de leur âme et ne voient pas pourquoi, ni comment, s'en priver.

Le Taureau, dans *De astrorum sciencia* de Léopold d'Autriche.
(Augsbourg, 1489.)

Vie professionnelle et sociale

1. Persévérance, mérite et gestion

Le Taureau n'est pas préoccupé outre mesure par son image sociale, non pas qu'il n'y prête aucune attention, mais plutôt qu'il refuse de la faire reposer sur du vent. Etre reconnu pour ce qu'il fait lui est nécessaire, bien que les trop violents feux de la reconnaissance risquent de le gêner. Mais tout axer là-dessus et ne plus s'occuper que de cet aspect ne lui convient pas du tout. Il a des convictions bien morales qui consistent à penser que tout se mérite et doit être lentement et sûrement gagné. Ainsi se méfie-t-il comme d'un danger de ce qui irait trop vite et lui apporterait trop rapidement gloire, victoire, fortune ou renommée. Au fond de lui, il se voit bien installé, financièrement « à l'aise », reconnu dans son métier, occupant une belle place sociale, mais tout cela dans la seconde partie de sa vie. Peut-être même, à force de remettre en cause ses acquis et ses victoires, de vouloir toujours perfectionner son travail, retarde-t-il vraiment le moment de son plein épanouissement ? Mais, fondamentalement, il est fait pour la réussite, avec l'âge et la solidité du temps.

Les métiers qui lui conviennent et sa manière de gérer son argent témoignent d'ailleurs de ce penchant précis. Ces domaines sont fonction du niveau de progression et de conscience atteint par le natif qui, en évoluant, se détache de la gangue matérialiste et de sa façon très terre à terre de vivre les choses. Ainsi passe-t-il des domaines les plus terrestres (finances, agriculture, restauration...) à leur sublimation avec la danse, la peinture, le chant, la photo ou l'écriture.

De même, l'importance qu'il accorde à l'argent et la manière – saine ou malsaine – qu'il a de le gagner et de le gérer sont-elles fonction de son évolution et de son stade de détachement par rapport à l'immédiateté du rapport à la matière manifesté par le lien à l'argent.

2. Les métiers du Taureau

Le signe est en analogie avec quelques grandes options :

– La **bouche :** les métiers en rapport avec l'alimentation (agriculture, hôtellerie, restauration, magasins d'alimentation, grande gastronomie...) et ceux qui présentent des spécialisations médicales en relation avec ce domaine (O.R.L., dentisterie...).

– La **terre :** jardinage, bois, prés, travaux agricoles ou de transformation artistique à partir de cette matière première (botanique, horticulture, agronomie, génie rural, qualité de la vie, naturopathie, médecines douces...). Tous les métiers liés aux pâturages, aux traitements animaliers et à leur transformation. Les vins, vignobles, les métiers en rapport avec le monde viticole, à tous les niveaux.

– L'**argent :** banques, Bourse, conseils en placements et en gestion, métiers du Trésor, des impôts, du budget, Inspections des finances. L'économie politique, les organismes internationaux à vocation financière.

– L'**immobilier :** entreprises de construction, investissement immobilier, la pierre, promoteurs, agences, courtiers, syndics…

– Le **bâtiment :** génie civil, barrages, ingénieurs des Ponts et Chaussées, des travaux publics, bâtisseurs, architectes, maçons, carreleurs… mais aussi la décoration, le design, la création d'intérieurs…

– L'**esthétique :** beauté, coiffure, magasins esthétiques, mode, mannequins, parfums, haute couture, maroquinerie, industries du vêtement et d'ameublement. En particulier la soie, les vers à soie et l'arbre mûrier.

– Les **arts :** danse, peinture, chant, opéra (qui est vraiment son grand domaine), arts plastiques, arts appliqués, arts ménagers ; tous les métiers liés au commerce de l'art (agents, organisateurs d'expositions, propriétaires de galeries, critiques…).

– La **voix :** chant, art choral, professorat de chant ou d'instrumentation.

– L'**œil :** photographie (sous l'influence de Neptune dans le signe), cinéma, vidéo…

Jupiter, maître de la vie sociale, des affaires et des finances, selon la symbolique astrologique.

Astrologues dessinant le thème d'un enfant
sur le point de naître.

(Jacob Rueff : *De conceptu et generatione hominis,* 1587.)

VII

L'enfant Taureau

1. La famille, centre du monde taurien

L'importance de l'affectivité et de la sensualité du signe se voit facilement dès le premier âge. Bébé Taureau est **calme** et souvent bon dormeur. Une fois qu'il a tété, il semble tranquille pour un bout de temps. Très vite, on remarquera chez lui que le contact du sein – puis tous les contacts sensuels – sont primordiaux. **Sa sexualité s'éveillera vite** et son univers intérieur tourne beaucoup autour des câlins avec ses parents. Avec ses frères et sœurs, puis avec ses copains, **son contact tactile est d'importance.** Il a besoin de toucher, de sourire, de se rapprocher physiquement de ceux qu'il aime, et ne comprend pas que quiconque veuille le priver de cette manifestation primordiale de son amour de la vie.

Longtemps, sa vie tourne autour de sa famille. Il prend son cercle originel pour la référence absolue et *jugera souvent tout à travers ce prisme.* Les habitudes familiales lui serviront de base de comparaison, et on peut même penser qu'il montrera peu de tolérance pour tout ce qui va à l'encontre de ce qu'il a connu dans sa prime enfance. Au pire, cette référence familiale peut être un frein à sa curiosité pour l'extérieur. Si on ne l'y aide pas, le petit Taureau peut se refermer sur ses acquis originels et considérer tous ceux qui ne font pas, ne vivent pas, ne pensent pas, ne se comportent pas comme lui, ses parents ou ses proches comme des « zombies » ; il ne cherchera pas à comprendre qu'il peut exister d'autres modes de comportement et d'autres manières de faire tout aussi valables. **Il faut donc l'aider à s'ouvrir** et à considérer la différence chez autrui comme une source d'enrichissement et de progrès, sans s'attarder à critiquer pour critiquer.

Très vite, il faudra éduquer le petit Taureau dans le sens de la curiosité pour ce qui ne lui ressemble pas et relativiser son sens des valeurs. La tradition familiale, si elle le rassure, ne doit pas devenir une source de sclérose et d'œillères si on ne veut pas le voir souffrir d'isolement et d'intolérance.

2. Equilibrer l'affectivité, libérer l'expression

L'autre apport primordial des parents devra tendre à le rassurer au maximum sur l'amour qu'on lui porte. Avec cet enfant-là, il ne faut pas hésiter à manifester pleinement son attachement et son amour, car cela constitue sa nourriture première. S'il devait vivre dans le « manque », son avidité ainsi que son attachement pathologique à ce « manque » pourraient prendre une dimension tout à fait négative et bloquante pour son épanouissement profond.

Lui faire vivre son émotivité et sa sensualité pleinement et simplement, comme la chose la plus naturelle, représente la meilleure voie pour son équilibre intime. Les désirs étant toujours vifs dans ce signe, il est aussi judicieux de les canaliser vers des réalisations concrètes, artistiques, sportives ou manuelles, de préférence proches de la nature afin de permettre leur plein épanouissement sans que se forment des rétentions ou des excès énergétiques qui s'évacuent, chez le jeune Taureau, par des accès de tristesse suivis de colère ou d'impétuosité.

Il faut veiller à équilibrer le tempérament et éviter les non-dits, c'est-à-dire tenter de **favoriser l'expression des émotions** de l'enfant qui pourrait, dans le cas contraire, s'enfermer dans un mutisme – qu'il affectionne particulièrement – et dans son imaginaire fécond dans lequel il vaque entre fées et sorcières, entre épanouissement et tristesse.

3. Les principes de sa santé

La dépense physique est recommandée, mais elle ne se fait que si **on pousse** le petit Taureau, trop content de se prélasser dans des coussins douillets en mâchouillant des bonbons et en imaginant de belles histoires dans sa tête ou, pire, en restant fourré dans les jupes de celle qui restera longtemps le pivot de sa vie : sa mère.

Sa circulation sanguine et ses fragilités O.R.L. demandent une bonne hygiène générale, et notamment que l'on veille à sa prise de poids et qu'on l'aide à éliminer (ses eaux comme ses émotions). Bouger, dans tous les sens du terme, lui fait incontestablement le plus grand bien. Sa gourmandise est toujours à surveiller et il faut sans cesse réfléchir à ce qu'un enfant Taureau cherche à compenser en finissant les fonds de confitures et en cumulant les gâteaux au chocolat. Il faut alors veiller à lui faire manger du poisson, des fruits de mer pour le bon fonctionnement de sa glande thyroïde, et mettre dans son assiette des aliments à teneur en sulfate de soude (concombres, radis, salades, épinards, choux-fleurs…) pour lutter contre sa rétention d'eau.

Pour les activités sportives, cependant, si l'on veut éviter que l'enfant Taureau – déjà peu enclin à se remuer – ne prenne en grippe tout exercice physique, il faut penser que seule la **jonction du mouvement et de la beauté** peut mieux le motiver ; cela veut dire parier sur la danse, la gym-tonique, la piscine, les gymnastiques douces et harmoniques... et non pas sur les sports de performance et de challenge qui les horrifient et ne motivent que les énergiques enfants de Feu (Bélier, Lion, Sagittaire et Scorpion) ou les sports de vitesse qu'adorent les enfants d'Air (Gémeaux, Verseau, Balance).

Les activités de plein air, le jardinage, les travaux en forêt... ainsi que les activités manuelles, de décoration, de construction, ou la pâtisserie et autres activités culinaires leur conviennent généralement bien, leur permettant de mettre en avant leurs qualités créatives et leur sensibilité. Plus que le goût de la performance, ils éprouveront le besoin vital de « faire plaisir à maman » et de s'attirer ainsi son attention.

4. Avoir des amis, organiser des fêtes

Toutes les rationalisations des enfants Taureau passent aussi par ces activités évacuatrices et rééquilibrantes que constituent les jeux et les sports en groupe ou à deux. Leur sens du contact en est ainsi développé, surtout pour les petits garçons qui ont plus tendance à rester dans leur cocon intérieur. De toutes les façons, ne vous attendez pas à les voir fréquenter de larges cercles d'amis, car ils préfèrent toujours choisir un(e) seul(e) ami(e) et y rester fidèles le plus longtemps possible. Une fois lié par une amitié sincère et profonde, le petit Taureau – comme le grand, d'ailleurs – considère que ses amis font partie de la famille, aime bien les inviter dans sa « belle maison » et partager le

Thème de naissance illustré en astrologie arabe.
(Traité des Nativités d'Albumazar, XIIIᵉ siècle ;
Bibliothèque nationale, Paris.)

plus d'activités possibles avec eux. Ne le privez pas des goûters qu'il veut organiser, s'occupant lui-même de tout et faisant volontiers la cuisine. Faire la fête sera toujours sa motivation majeure.

5. Les enjeux de chaque âge

✧ *DE 0 A 1 MOIS : AGE LUNAIRE*

Age important, pendant lequel l'enfant n'a pas conscience d'exister en dehors de l'enveloppe matricielle et vit encore au rythme utérin, surtout pendant les trois premières semaines de sa vie (âge néo-natal). Pour l'enfant Taureau, c'est un âge clef, le lien à la mère, au corps et au sein maternel étant primordial pour le restant de ses jours, ainsi que nous l'avons abondamment expliqué en début de cet ouvrage. Je dirais volontiers « frustrations interdites » ! Ici, bien que cela soit valable pour tous les enfants – mais peut-être encore plus pour les petits Taureaux – des horaires trop rigoureux, un sevrage trop rapide, une séparation trop brutale et un non-respect de ses besoins de fusion le laissent insatisfait à vie, puisque ce natif repose sur la mémoire de ces moments-là.

Mamans d'enfants Taureaux, si vous ne voulez pas les voir « accrochés » à vous de façon pathologique, évitez de vouloir les discipliner et les régler trop tôt ; il y a bien des chances pour que cela ne marche pas avec eux. Si vous les poussez trop précocement vers l'extérieur, ils ne s'y fermeront que plus volontiers.

✧ *DE 1 A 3 MOIS : AGE MERCURIEN*

C'est un stade d'évolution par rapport au stade réflexif précédent. Les premiers facteurs qui témoignent de son besoin de contact avec l'extérieur sont la musique et les formes au-dessus de lui. Veillez à ce que celles-ci soient adaptées et harmonieuses sinon, les Taureaux étant fragiles sur le plan auditif, ils ne voudront rien entendre et fermeront leur oreille droite, celle du langage, du père et de la verticalisation adulte, partiellement ou définitivement (1).

✧ *DE 4 A 8 MOIS : AGE VENUSIEN*

C'est l'âge de la découverte de son propre corps et des plaisirs qui l'accompagnent. Age très sensible pour le vénusien de Taureau qui comprendra une bonne partie de sa vie – la meilleure – à travers les sensations et la tactilité. Câlins, jeux de bains, découverte des tissus et des matières, massages et longues périodes sur la peau nue de papa et de maman le nourrissent autant que les bons petits pots maison et les tétées.

Découvrant et aimant le corps que sa maman aime, le petit Taureau épanouit ses sens et découvre ainsi son autonomie. Son corps lui appartient... et c'est drôlement agréable !

✧ *8 MOIS : L'ANGOISSE DE LA SOLITUDE*

Etape d'individualisation essentielle et inévitable pendant laquelle l'enfant découvre que sa mère existe, même en dehors de lui, ce qui signifie qu'il est un individu solitaire. Tous les parents savent aujourd'hui que cette étape est primordiale, et on l'applique dans les crèches et les lieux paramaternels en ne prenant pas les enfants qui n'y ont pas été intégrés avant.

Avec le petit Taureau, attention, car cette découverte le rend bien fragile. Comme « par hasard », c'est le moment où il pourrait faire des angines, des otites ou connaître un sommeil perturbé, c'est-à-dire tous les signes annonciateurs de ses fragilités émotives.

N'hésitez pas à rester le plus possible avec lui et faites bien attention au mode de garderie que vous lui avez choisi.

---

1. Voir, du professeur Alfred Tomatis : *La Nuit utérine* (Stock).

❖ *DE 8 A 18 MOIS : AGE SOLAIRE*

Prise de conscience par l'enfant de son image et de sa légitimité à exister tel quel (âge « du miroir »). Il a besoin de papa pour lui dire – implicitement – qu'il est « *beau et fort, et qu'il peut marcher droit tout seul* ». Du coup, il se met debout et fait ses premiers pas… Si ce stade est perturbé, si l'image paternelle est ternie pour une raison ou pour une autre, les fragilités affectives et le besoin – maladif – de reconnaissance n'en seront que plus accentués.

Pour l'enfant Taureau, cet âge décide de son ouverture et de ses facilités de contact avec l'extérieur ou de sa timidité. Il faut vraiment que le miroir de l'extérieur lui prouve qu'il est beau et aimé.

❖ *DE 18 MOIS A 3 ANS : AGE MARTIEN*

Il existe et il l'affirme, au besoin en s'opposant, cassant, mesurant ses effets sur l'environnement mais aussi en maîtrisant son corps par l'apprentissage de la propreté. Cela se passe à travers des aventures casse-cou, des révoltes, une humeur en dents de scie et des parents qui ne comprennent plus rien à l'agressivité de leur enfant : « grand » le jour, « bébé » la nuit, à moitié propre et bien rouspéteur. C'est un âge fragile et merveilleux durant lequel le petit Taureau se mesure au monde et pendant lequel il faut faire bien attention à ne pas brusquer sa propreté et l'aider à s'intéresser à tout ce qui se passe dehors sans qu'il critique ce qui lui fait peur.

« *C'est beau l'inconnu, mais maman est là pour te protéger* » est le bon message. Les petits Taureaux, en pleine émergence de l'Œdipe, en profiteraient bien pour se rapprocher de maman, mais on recommandera au papa de prendre quelques pincettes pour jouer son rôle séparateur et l'éloigner du lit conjugal.

✧ *DE 3 A 6 ANS : AGE JUPITERIEN*

C'est l'âge de la découverte de la société. Aller à l'école, avoir des amis, s'intéresser à l'organisation sociale, découvrir la lecture, la communication et commencer à trouver sa place de petit d'homme... voilà les enjeux. A six ans, la structure affective est finie et se manifestera au cours des années à venir. Le petit Taureau s'y engage consciencieusement, avec travail et tranquillité. Il éprouve quelques résistances et cherche à s'organiser un univers rassurant. Pour ne pas le voir bouder dans son coin, il faut favoriser la mise en place de son univers amical et débuter les activités manuelles et corporelles qui lui vont.

✧ *7 ANS : L'AGE DE RAISON*

A l'école, le petit Taureau ne fait pas partie des enfants tumultueux et semble vouloir rester dans son coin pour regarder, émerveillé, les espiègleries de ses petits copains de Feu et d'Air. Il vogue plutôt sur son émotivité et fait son travail tranquillement. Sa lenteur est vraie, mais il est appliqué et persévérant. S'il aime sa maîtresse d'école, c'est essentiel et il en fera le centre de son univers. Il progressera alors pour être « le chouchou » mais, s'il se sent incompris, il pourrait démontrer ses peines de cœur par divers bobos répétés.

C'est le moment de favoriser toutes ses ouvertures et de veiller à ce que la maison soit, pour lui, un lieu accueillant et réconfortant : il en a toujours besoin pour se requinquer.

✧ *L'ADOLESCENCE*

La façon dont il a vécu les âges vénusien et martien va se manifester ici. Il a besoin d'être aimé, touché, rassuré, et s'y prendra peut-être maladroitement, avec des accès de jalousie et de possessivité qui n'ont rien pour l'équilibrer. Tumultes et passions le guettent, et c'est ici l'aspect à la fois plutonien, destructeur et violent de son caractère qui peut se manifester ; l'aspect saturnien, consciencieux, travailleur et structurant vient corriger les excès. Le rapport à son corps et à sa sexualité le préoccupe beaucoup, et il faudrait l'aider à s'exprimer là-dessus. Il a des chances de prendre du poids et que sa peau pose problème, ce qui n'est pas fait pour le rassurer.

Les garçons plongent dans l'intériorité, les filles en font trop pour séduire et se faire voir. Un peu de raison les aidera à y voir plus clair et leur servira de soupape.

✧ *UNE BELLE TRENTAINE*

Lent et intériorisé, le Taureau (surtout chez les hommes) n'arrive à un plein épanouissement que vers la trentaine, âge qui représente souvent son cap d'équilibre trouvé. Il est, dès lors, moins pris dans les tourmentes émotives et sensuelles qui l'emprisonnent longtemps, et se met au travail avec acharnement et désir de construction, laissant un peu de côté son imagination débridée et ses ruminations diverses. L'action devient plus structurée et il se dirige vers une belle maturité sereine, vers l'équilibre autant sensuel que matériel auquel il aspire.

La quarantaine l'ouvre souvent à sa dimension spirituelle, toujours présente mais un peu trop « embourbée » dans les émotions pour exister véritablement avant.

VIII

Les parents Taureaux

1. Maman Taureau

Femme-femme, Mme Taureau trouve dans la maternité le « plus » qui manquait encore à sa parfaite plénitude. D'amante sensuelle n'ayant pas hésité à épuiser tous les secrets de sa séduction innée, elle devient femme-terre, terre-mère, déesse régnante au pays des mortels, mortels auxquels elle rappelle sans cesse qu'être femme c'est détenir le pouvoir de vie.

Enceinte, elle pense qu'« elle n'appartient plus au monde, mais que le monde lui appartient », et se sent désormais invincible. La vie, pour elle, n'a pas de sens sans enfants, et la sérénité qu'elle acquiert ainsi constitue à la fois un terreau fertile pour sa progéniture et une arme supplémentaire pour sa séduction.

Tout cela fait d'elle une maman un peu possessive et autoritaire, consciente de ses responsabilités. Les principes qu'elle applique sont ceux du bon sens, car elle cherche – dans son éducation – à perpétuer les valeurs essentielles de l'humain. Elle se met à l'écoute de ses enfants, ce qui lui évite de montrer les pires aspects de son caractère entier et jaloux. Dans ses jupes, ses enfants restent volontiers car ils y trouvent sensualité, protection et chaleur, mais il n'est pas rare de la voir les pousser au-dehors dès qu'elle les sent devenir trop dépendants. Au fond, elle est consciente de son pouvoir mais aussi de ses devoirs : elle garderait volontiers ses petits « tout petits » si elle ne savait à quel point cela finirait par leur être nocif à terme.

Elle n'est pas mère à se laisser envahir et submerger. Sa vie de femme continue, même si elle se modifie. Le changement primordial est qu'elle cherche indubitablement à construire un nid, c'est-à-dire un foyer, des horaires, des règles et qu'elle plonge dans l'univers culinaire qui lui sied bien en plus d'être nécessaire à ses enfants. Sa vie se recentre autour de ses petits, quelles que soient ses activités extérieures : elle veut être rassurante, et tout son entourage le sait.

Son credo est simple : elle veut remplir ses enfants d'amour parce qu'elle sait combien cela est vital. Elle préfère leur en offrir – quitte à être rejetée – plutôt que de les en priver et de les trouver « en manque ». De toute façon, elle sait mieux gérer les excès que les manques… Si, en plus, elle parvient à comprendre qu'elle n'est pas la seule à pouvoir aimer ses enfants, ceux-ci ne s'en portent que mieux. On souhaite qu'il y ait un père assez fort pour éviter que cet amour si vrai ne devienne dominateur, et lui permette ainsi d'être une maman parfaite ; cela s'entend surtout pour ses fils, sur lesquels elle exerce une véritable fascination qu'ils risquent de rechercher encore longtemps dans leur vie d'adulte.

2. Papa Taureau

Gentil, tendre, affectueux et à l'écoute – sinon aux aguets – voilà le « papa-poule » qu'est le Taureau. Il y a au moins une chose que ses enfants ne lui reprocheront jamais : c'est de ne pas avoir été là, car il est sans doute un des pères les plus présents – physiquement et affectivement – du zodiaque. Devenir père est, pour lui, un aboutissement normal à sa vie d'homme ; il y trouve une justification optimale à son besoin inné d'installation, de construction, d'enracinement et de gestion à long terme. Sa maison, sa famille, sa tranquillité, ses habitudes… tout cela forme un pôle stable qui lui permet de développer la sécurité, la douceur, la chaleur, la beauté sinon la perfection qu'il recherche pour être profondément heureux.

Dans l'idéal, il a voulu ses enfants et a tout organisé avant leur venue afin qu'ils ne subissent aucun revers d'aucune sorte. Il a bricolé la chambre pour la rendre accueillante, emprunté pour habiter là où la nature est verdoyante, suivi toutes les étapes de la grossesse du premier rendez-vous chez le gynécologue à la venue au monde elle-même à laquelle il a participé au moins autant que la mère… poussant avec elle, sinon pour elle ! Une fois que tout est fignolé, il va volontiers chercher les enfants à la crèche, puis à la maternelle, et s'occupe des moindres détails quotidiens, souvent même mieux que la maman avec laquelle il parle d'ailleurs presque exclusivement de la maisonnée et de ses habitants.

Il est câlin, raconteur d'histoires et confectionneur de gâteaux autant que réciteur de leçons et fervent participant aux réunions de parents d'élèves. Il est large, sensuel, tranquille et enveloppant. Longtemps ses enfants passeront avant lui, au point de le laisser bien pantois lorsqu'ils annoncent que leur vie est... ailleurs. Son problème est surtout d'avoir du mal à le leur dire avec des mots et d'oser exprimer l'immensité de sa tendresse. Avec les années, les enfants s'éloignent et papa Taureau se demande bien ce qu'il va pouvoir faire de lui-même. Son caractère bougon et taciturne se révèle alors ; il devient critique et renfrogné, cherche une deuxième jeunesse, une raison de ne s'occuper que de lui...

Il leur a apporté les racines, O.K., mais le mieux serait qu'il ne devienne pas lourd, « out », à la traîne, possessif et jaloux à désespérer. Eh oui, il a tout fait pour eux ! C'est bien pour cela qu'ils sont destinés à lui échapper... Le père Taureau parfait est celui qui parvient à intégrer ce concept.

Zodiaque arabe du XVIe siècle.

IX

Rencontre avec le sacré en soi

1. Les rapports entre astrologie et religion

Quelques rappels historiques sont ici nécessaires afin de mieux appréhender les rapports existant entre l'astrologie et l'Eglise chrétienne, en particulier occidentale. Dans toutes les civilisations, l'astrologie peut être considérée comme la base initiale de la religion, car elle représente le premier lien **conscientisé et organisé** de l'homme avec le « toujours plus grand que lui », la Loi cosmique qui a successivement pris tous les noms de Dieu et dont le Message – le Verbe – redescend jusqu'à l'homme. Cela dit, les débuts du christianisme catholique – plus encore que l'avènement du bouddhisme ou de l'islam, et différemment de la tradition juive ou d'anciens textes comme le Talmud ou le Zohar – ont rompu avec l'astrologie, dénoncée en regard de ses origines païennes et accusée de supplanter Christ, seul détenteur du « destin » des âmes incarnées sur Terre…

Néanmoins, les liens entre l'astrologie et le christianisme sont inhérents aux **symboles de Lumière et de Verbe qui leur sont communs.** Sans développer ici la richesse de ces liens (1) qui témoignent judicieu-

_____

1. Voir, de Eugène Brunet : *Dieu parle aux hommes par les astres* (Editions Montorgueil).

Le Christ, régent des deux luminaires : le Soleil et la Lune...
(Cathédrale de Bourges, portail ouest ;
photo Mireille-Joséphine Guézennec.)

sement de l'**éternité** et de l'**universalité** des principes
immuables de la structure de l'imaginaire humain,
nous tentons d'aborder les analogies qui existent entre
les signes du zodiaque et les différentes figures centrales du christianisme. Nos églises et nos cathédrales
nous fournissent des milliers d'exemples de ces associations fondamentales à travers les bas-reliefs, les
vitraux, les sculptures... et nous en avons extrait ici
quelques représentations.

Cela est d'autant plus important pour les signes fixes (Taureau, Lion, Scorpion et Verseau) qui sont clairement cités dans leur analogie aux quatre vivants de l'Apocalypse, tandis que le signe du Poissons (symbole du christianisme) est, quant à lui, présent dans la géographie sacrée des sept églises chrétiennes d'Asie, dont le plan au sol reflète la figure de la constellation stellaire du Poissons... elle-même liée dans le ciel – et dans le symbolisme astrologique – à la constellation du Crater, la coupe (le Graal) analogique au signe de la Vierge. N'oublions pas, non plus, l'analogie entre ce signe et le réceptacle géographique de Christ – Bethléem (« Maison du Pain ») – pointant le devoir de Marie de **recevoir, nourrir puis restituer le Fils au Père,** d'être terre d'accueil mais surtout de passage, cathédrale pour **accomplir l'Epiphanie, ce lien entre Réception et Résurrection** si cher à la tradition orientale.

Si cela est tout particulièrement pointé dans le signe de la Vierge (signe de l'éternel humain...), c'est qu'il demeure au cœur des liens entre minuscule et Majuscule, entre temporel et Eternel, entre humain et Divin. L'astrologie participe donc de l'*anacrise* (2), ce désir fou et spécifique de l'être humain d'**établir un dialogue construit entre sa part terrestre et sa part angélique** et, en ce sens, monter un thème astral revient à **parier sur la capacité humaine à intercepter un instant d'éternité.**

C'est ici que se pose, selon moi, la question clef de l'astrologie : *avoir trouvé la technique qui permet d'intercepter cette part d'Ineffable autorise-t-il à penser que l'on y participe pour autant ?* Ou que, pire encore, on la maîtrise ? La réponse ne peut venir que

---

2. Voir, de Robert Amadou : *L'Anacrise/Pélagius* (Carisprit).

du cœur et des rapports intimes que chacun entretient avec la Foi. Mais, dans tous les cas, la miséricorde et l'Amour divins sont immenses…

2. Ambiguïté de l'Eglise chrétienne d'Occident

La Bible – comme tous les textes sacrés, comme l'astrologie et comme les symboliques de toutes les traditions – est en base 12. D'autre part, la tradition mystique nous présente saint Jean comme un prophète-astrologue, ce qu'étaient les apôtres ainsi que les Rois mages. Mais que sont-ils tous, sinon des messagers de la Lumière, cette Lumière que nous savons aujourd'hui lire dans sa réalité biophysique ? Peut-être qu'à la fin du XXᵉ siècle, grâce à la jonction du savoir scientifique infiniment développé et de la connaissance symbolique et mystique ancestrale, l'humanité est enfin sur le point de comprendre l'unité des énergies de l'univers ?… Libre ensuite à chacun de retrouver cette unité avec l'aide de Dieu, quelque soit le nom qu'il lui donne…

Bas-relief de la cathédrale d'Amiens,
représentant les signes du zodiaque.

Le Christ, le Soleil, la Lune et les quatre évangélistes qui
vont raconter leur Apocalypse, leur Vision. Du Livre d'Enoch
à la Bible, on conserve la tradition ésotérique. Dans la Bible
elle-même, les références astrologiques existent :
Deut., XXXIII, 14 ; Jug., V, 20 ; Ps., XIX, 3 ;
Dan., IV, 26 et V,4 ; Matth. II, 2 et XXIV, 29 ; Apocalypse.

Si l'astrologie est donc l'une des courroies de transmission du message lumineux, les quatre signes fixes y sont les quatre messagers désignés, de par leur analogie avec les quatre vivants de l'Apocalypse de saint Jean. En effet, après son exhortation aux sept églises, symbole de la Jérusalem céleste, saint Jean raconte sa vision du trône de Dieu, c'est-à-dire textuellement *« la façon dont le trône de Dieu lui est révélé »* (le mot mal interprété d'Apocalypse signifiant « Révélation ») :

– Sur le trône, quelqu'un (Christ sur son trône ou dans les mandorles au sein desquelles il est représenté sur les frontispices et les portails de nos églises).

– Autour, les vingt-quatre vieillards (les ancêtres).

– Encore autour, les sept esprits de Dieu (les sept énergies, les sept couleurs de la lumière solaire, les sept notes de musique avec l'exactitude des correspondances énergétiques que l'on retrouve dans les chants grégoriens, nos sept planètes majeures de l'astrologie…).

Enfin, les quatre vivants (les quatre survivants en fait, qui ont pour mission de transmettre le Verbe, la révélation de l'Apocalypse) qui sont les quatre évangélistes :

– **Le premier vivant est comme un lion ;** c'est saint Marc associé au signe du Lion, prophète « militant » dont les coptes se réclament, dans la droite ligne des enseignements des Pères du désert.

– **Le second vivant est comme un jeune taureau ;** c'est saint Luc associé au signe du Taureau, signe du désir de Création dont l'enjeu terrestre sera d'accéder au Verbe déposé dans sa chair, après avoir déblayé la matière qui le protège, ou l'opacifie…

– **Le troisième vivant a comme un visage d'ange ;** c'est saint Matthieu associé au signe du Verseau,

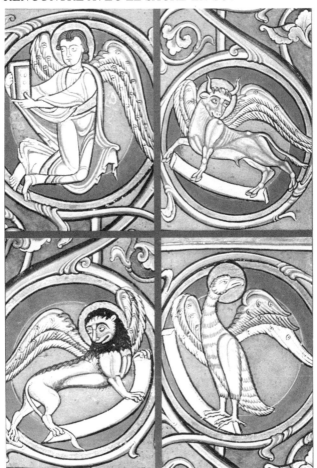

Association entre les quatre vivants de l'Apocalypse, les quatre éléments et les quatre signes fixes du zodiaque : Taureau (Terre) – Lion (Feu) – Aigle-Scorpion (Eau) – Homme-Verseau (Air), que l'on retrouve ainsi associés dans le principe du Sphinx.

(Manuscrit du XVᵉ siècle ; Bibliothèque nationale, Paris.)

Saint-Luc l'Evangéliste regardant le taureau, son emblème.

(Manuscrit français du XVIᵉ siècle ; Bibliothèque nationale, Paris.)

pédagogue du Verbe et réconciliateur de l'homme avec sa part divine.

– **Le quatrième vivant est comme un aigle en plein vol ;** c'est saint Jean, associé au signe du Scorpion, auquel correspond l'emblème de l'aigle dans la Tradition et dont les capacités transmutatoires ouvrent sur la révélation et la possible résurrection.

La transmission de l'Orient devient d'autant plus intéressante qu'on se souvient que ces quatre figures centrales du taureau, du lion, de l'aigle et de l'homme, représentant les quatre éléments Feu, Terre, Air et Eau, se retrouvent dans la carte du tarot le Monde, comme elles sont aussi réunies dans le symbole du Sphinx, archétype du secret, signe de la présence du message divin universel sur Terre… Il n'en reste pas moins difficile pour tout un chacun de retrouver son « bout de Sphinx » en lui-même. Disons simplement qu'une lecture astrologique – par un astrologue *qui joue véritablement son rôle d'évangéliste* – y aide… Savoir ce qu'on en fait, et comment on va être capable de le faire, est une question humaine, psychologique,

Les chrétiens (et les juifs) bannirent officiellement l'astrologie, considérant que Dieu seul régit le destin. Pourtant, en
dépit de résistances aux idées païennes, l'astrologie eut
une influence sur l'Eglise primitive, associant les symboles
des évangélistes avec la croix des signes fixes (le Taureau,
le Lion, l'Homme-Verseau et l'Aigle-Scorpion. (*Symboles
des Evangélistes,* enluminure du *Livre de Kells,* IXᵉ siècle).

socioculturelle et contingente qui, en tant que telle, n'appartient plus à l'astrologie…

Extrait de *Scholium de duodecin zodiaci , signis et de ventis.*
(Art religieux du Xᵉ siècle.)

3. Le sens du sacré selon le Taureau

Nous l'avons vu, si le vécu terrestre est important pour le Taureau, le détachement des valeurs matérielles et le passage à un niveau de compréhension cosmique supérieur lui tiennent lieu de destin à part entière, et le motivent au moins aussi fortement que la satisfaction de ses désirs gustatifs, physiques et concrets.

Signe d'amour, il est celui de l'Illumination possible sur Terre, ainsi que l'y engage son étoile-phare Aldébaran la lumineuse. La Lumière, celle du Christ, celle d'une vision juste et humaine des êtres et des choses, celle d'un état de conscience supérieur est très présente dans ce signe qui, fait de matière, représente le creuset dans lequel se love l'**essence du sacré,** là où elle trouve sa terre d'accueil et à partir de laquelle elle peut germer au chaud et irradier dans l'univers.

〽️

Il faut se rappeler sans cesse qu'en Taureau (régi par Vénus) est déposée l'étincelle divine d'Uranus, qu'elle a choisi de s'y incarner pour exister dans le monde des hommes. L'analogie à Christ est, là aussi, immédiate. A un niveau supérieur de conscience et dans une phase élevée de son existence, le Taureau peut se tourner vers le temple de chair que son corps offre au sacré à travers lui-même. Ce corps si désirant et si désiré devient alors vecteur de passage, lieu d'alchimie spirituelle et de transmutation énergétique. On y trouve vraiment l'illustration d'échanges telluro-cosmiques que la danse – art taurien par excellence – symbolise par la présence plus ou moins consciente des forces latentes en œuvre dans le corps : *« Si le corps est l'espace crucial où les ténèbres se transfor-*

*ment en Lumière, la danse inaugure le ballet virtuose
de cette métamorphose.* »

L'autre art divin par excellence pour lui, si sensible
à la voix, est bien celui du chant, du chant grégorien
en particulier, où les graves du blues trouvent en lui
des résonances parfaites et des appels à la pratique,
puisque les Taureaux chantent avec plaisir et souvent
pour le grand plaisir d'autrui.

Mais à parler de temple, de quel temple s'agit-il
sinon du cœur lui-même, cœur que la lumière de
l'étincelle d'Amour transmute de pierre en chair. Sentir, aimer, être en empathie avec l'autre – c'est-à-dire
au diapason intérieur de ce que l'autre ressent et com-
munier avec lui en cela – voilà bien les grandes capacités vénusiennes incarnées en Taureau. *« C'est dans
ton cœur que se trouvent les étoiles de ton destin »,*
disait Schiller, et ce sont là paroles audibles parmi toutes
pour les natifs.

Les gens du Taureau se révèlent rarement prati-
quants au sens strictement « bigot » du terme, car ils
se méfient bien trop des apparats et des complications
cérémoniales. Un Taureau s'adresse, de manière quasi
instinctive, au dieu de son cœur et à un amour du prochain qui se manifeste – d'une manière souvent pratique – à travers des actions d'aide et d'entraide au
quotidien. Sa pratique mystique à lui passe par une
action, ce qui correspond à sa manière d'être et
d'appréhender le monde.

Pour rencontrer le sacré sur Terre, le Taureau utilise les moyens et outils qui lui sont fournis par son
enveloppe charnelle et suit la voie des sens autant que
celle du bon sens. A l'extrême, l'**acte d'amour** est,
pour lui, le meilleur des tremplins pour accéder au
monde supérieur et, sur la trace des tantriques et des
soufis, il ne prônera jamais l'ascèse mais la pratique.

Les douze étapes de l'évolution de l'homme représentées par les douze branches de l'Arbre de vie, la figure du Christ étant l'image de la transformation intérieure. Ces douze branches – ou étapes – sont en correspondance avec les douze signes du zodiaque et sont structurées deux par deux, en six niveaux, tout comme l'astrologie est structurée en six axes. Sur chacune des branches, on retrouve les pieuses observations des Ecritures.

(*L'Arbre de la vie de l'homme,* gravure de John Goddard, 1649.)

Il mettra tout son corps pour rejoindre son âme, puisque celle-ci habite chacun de ses pores. On dira qu'il a une manière « féminine » et fervente d'aborder cet aspect-là. Pour lui, il suffit, après tout, de regarder la Nature et ses miracles au quotidien pour se convaincre de l'impact divin, et les noces avec la Terre lui ouvrent de bien célestes horizons. Jouir et partager le rapprochent certainement plus de Dieu que la souffrance ou l'abnégation.

Aimer ses enfants, ses proches et les « élus » de son cœur représente alors l'acte le plus dévotionnel, la voie de compréhension des mystères les plus immuables de la condition humaine. Les discours humanitaires et pratiques de Jean-Paul II – natif du signe – sont, en ce sens, bien représentatifs.

≈ ♓ ♈ ♉ ♊ ♋ ♌ ♍ ♎ ♏ ♐ ♑

Conclusion

Connaître son signe solaire est toujours utile et important : c'est une **première approche** sur le chemin de la découverte et du développement de soi. Au rang des outils qui favorisent cette analyse intérieure et permettent une connexion avec l'Eternel en nous, l'astrologie a pour elle le mérite, la sagesse et la validité des siècles. Elle donne tout son sens à la phrase de Clément d'Alexandrie : *« Le cheminement vers soi-même passe par les douze signes du zodiaque. »*

Nous avons tenté de condenser ici le maximum d'informations de qualité pour vous permettre de franchir cette première étape. Vous savez à présent que **nous portons en nous une certaine palette de signes différents,** qui influent sur nous en synergie, et que nous ne sommes pas marqués uniquement par notre seul signe solaire. Loin s'en faut ! Alors, si rien ne remplace une consultation chez l'astrologue, il reste très important de découvrir ses propres dominantes : le signe de l'ascendant et de la Lune puis, dans un second temps, ceux des autres planètes marquantes dans son thème. Il est important aussi de se référer aux signes de ses proches, famille, amis et relations professionnelles pour mieux les comprendre, les aimer, les respecter afin d'évoluer ensemble dans l'harmonie.

Les **autres ouvrages de cette collection,** en vous faisant découvrir vos autres facettes cachées, en découvrant vos fonctionnements profonds et ceux de l'*autre,* favoriseront la tolérance, l'amour et l'échange. En attendant, nous espérons que la lecture de ce premier signe vous aura donné envie de découvrir les autres…

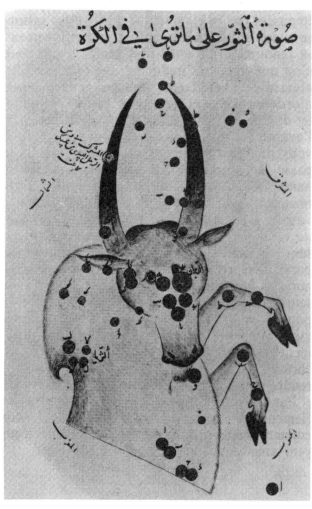

Catalogue des Etoiles de Abd al-Rahman al Sufi.
(Manuscrit arabe du xvᵉ siècle ; Bibliothèque nationale, Paris.)

Table des matières

Imprimé par CLERC S.A.
18200 Saint-Amand-Montrond (France)
pour le compte des EDITIONS DANGLES.

Dépôt légal éditeur n° 2215 – Imprimeur n° 6714
Achevé d'imprimer en septembre 1998.